Jorien de Bruijn

Ik moet mee

Met illustraties van Sylvia Weve

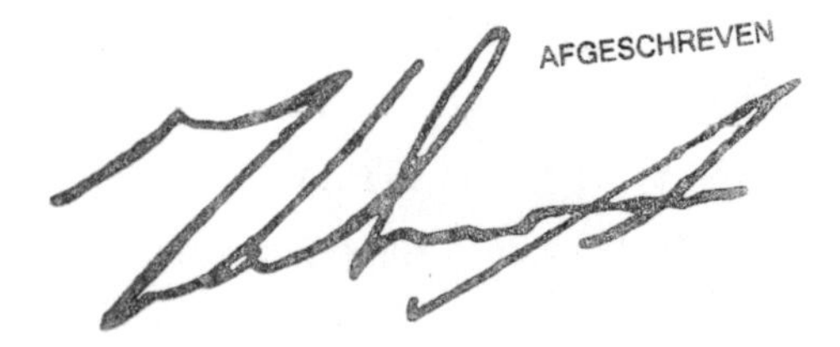

Gottmer · Haarlem

Uitgeverij J.H. Gottmer / H.J.W. Becht BV is onderdeel van de
Gottmer Uitgevers Groep BV

Omslagontwerp Steef Liefting
Vormgeving Willem Geeraerds
ISBN 978 90 257 4958 3
NUR 283
www.gottmer.nl

Niks tegen oma zeggen

Een moeder met meeuwenvleugels had ze. Het was om je dood te schamen. Lena kende geen één moeder met meeuwenvleugels, of wat voor vleugels dan ook.

Die vleugels waren het ergste, en op nummer twee stond haar vader, in zijn leren motorpak bij het hek van de school. Vroeger vond Lena deze dingen gewoon, maar tegenwoordig dacht ze bij alles: wat zou die ervan vinden of die? Nou, van die meeuwenvleugels wist je het zó al.

Mam had ze op haar schouders laten tatoeëren toen ze voorgoed bij papa in Nederland kwam wonen. Zij kwam uit Engeland, misschien dat ze in haar dromen met die vleugels stiekem terugvloog over zee.

Op zich waren het mooie grijze en zachtbruine veren. Maar de punten van de vleugels kwamen onder de mouwen van haar T-shirt uit, dat was stom gedaan. Als haar moeder in de zomer naar het tennissen kwam kijken, moest ze van Lena een vest aan. Om te pesten spreidde mam dan haar armen en riep: 'De Britse mantelmeeuw stijgt op!'

Het schamen was ongeveer een jaar geleden begonnen. Dat was toen mam een kapperscursus deed, wat betekende: thuis oefenen met de haren van je familie. De eerste klant was papa geweest. Die hield op het laatst zowat geen haar meer over, maar daar zat hij niet mee. Hij droeg toch altijd een pet, want op de steigers van de hoge flats waar hij ramen en deuren moest timmeren, was het koud en winderig.

Daarna was haar broer Fons aan de beurt. Fons werd opgeschoren met de tondeuse totdat zijn hoofd op een peer leek.

En toen moest Lena. Ze wilde niet, maar mam ging zielig doen en zei dat de kapper zo duur was. De volgende morgen moest ze naar school met rechtopstaande pieken in plaats van haar dikke bos krullen. Ze had nog geprobeerd om ze met gel plat te krijgen, maar ze waren niet blijven liggen. Vanaf dat moment was het begonnen, dat schamen, en nu had ze het bij bijna alles.

Gelukkig niet bij oma. Die was tenminste normaal. Tussen de middag als Fons en zij bij oma aten, mochten ze meenemen wie ze maar wilden. Meestal waren dat Nelli – dat was haar beste vriendin – met haar zus en een vriend van Fons. Af en toe kwam er nog iemand anders mee. Ja, iederéén zou wel willen. Omdat oma vlak bij school woonde en omdat overblijven saai was.

Oma vond alles best. Lawaai, kruimelen, morsen, bekers omgooien, ze bleef lachen. En als ze klaar waren met eten mochten ze in de bollenschuur naast het huis spelen. Je zei 'schuur' maar het was eigenlijk een soort pakhuis waar vroeger bloembollen uitgezocht, gepeld en bewaard werden. Een reusachtig stenen gebouw met hoge ramen zo groot als deuren. Ze deden daar verstoppertje achter de kisten, of lieten elkaar schrikken met de lichten uit. Of – maar dan moest je zeker weten dat oma het niet zag – ze zetten de luiken van de ramen open en lieten zich met de katrol van de eerste verdieping zakken.

Als mam moest werken gingen Lena en Fons 's middags ook naar oma. Vaak kwam Nelli mee. Dan hielpen ze oma met enveloppen maken; knippen en lijmen aan de grote tafel bij het raam.

Met die enveloppen waren ze nu net lekker bezig, Nelli en Lena. Ze zaten tegenover elkaar met in het midden de potten lijm en de scharen.

'Weet je waarom dit zo leuk is?' zei Nelli. 'Het is omdat het écht werk is en omdat het af moet. Wij hélpen tenminste iemand.'

Lena gaf geen antwoord, er zat al de hele dag een brok in haar keel.

'Waarom zeg je nou weer zo weinig?' mopperde Nelli.

'Weet niet,' zei Lena. Maar dat was gelogen, er was wél wat. Lena wist namelijk iets dat oma niet wist, een geheim, en ze moest er de hele tijd aan denken. Buikpijn had ze ervan! Papa en mam hadden het Fons en haar al verteld, maar oma moest nog even wachten. Waarom eigenlijk? Zeker omdat ze het niet durfden te zeggen, want het was héél zielig voor oma. En omdat oma het niet mocht weten, mocht niemand het nog weten. Nelli ook niet en dat was nog het moeilijkste. Die zei steeds: 'Is er wat, ben je kwaad of zo?'

Lena staarde door het raam. Buiten zag je prachtige paarse, rode, gele en oranje bloembollenvelden. Die liepen helemaal door tot de duinen. Door je oogharen leek het net een felgekleurde zee, met in de verte blauwgroene bergen als in een plaatje uit een sprookjesboek...

Vroeger waren die velden achter het huis van opa en oma geweest. Maar toen opa doodgegaan was, had oma de velden verkocht. Alleen de bollenschuur had ze gehouden. Lena en Fons hadden die opa nooit gekend, maar doordat oma er steeds over praatte leek het net of ze erbij geweest waren. Honderd keer hadden ze het verhaal nu al gehoord. Hoe oma het eten klaar had en dacht: waar blijft hij nou? En hoe ze hem gevonden had. Dood, boven op de geknakte narcissen.

Hoe kon oma dan toch altijd zo vrolijk zijn? Want er was nóg iets ergs: papa's tweelingbroer, ome Bing, was niet goed bij zijn hoofd. En daardoor moest oma eeuwig voor hem zorgen. Ze kon nooit eens op vakantie, want ome Bing wilde het huis niet uit. Wel ging hij overdag naar zijn werk, nou ja, een werkplaats waar hij van alles in elkaar moest zetten, wasrekken, kratten, tuinstoelen, dozen. Maar thuis had hij ook een baan, dacht ome Bing. En die baan ging 's avonds en in het weekend gewoon door. Hij had namelijk op de logeerkamer een postkantoor. Als oma hem om half zes eten had gegeven, ging ome Bing meteen naar boven.

Daar ging hij eerst brieven schrijven. Héél veel brieven, zo'n stuk of veertig. Hij kliederde elk blaadje vol met letters: AZVRT TMv iZpD, soms kleine letters, soms letters die niet bestonden, soms schuine strepen en golfjes. Als hij een stapel af had, moesten ze in de enveloppen. Daarna knipte hij vierkantjes uit een stickervel en plakte de zogenaamde postzegels erop. Op het eind nam hij een stempel, drukte dat eerst op een stempelkussen en dan met een klap op de postzegels: tsjak, tsjak, tsjak! De dreunen waren beneden te horen. Om tien uur kwam hij naar beneden om alles op de bus te doen. Nou ja, niet de echte brievenbus, maar die van de overburen. Dat waren heel aardige mensen en die gooiden de papieren later bij de oude kranten.

Maar oma moest wél zorgen dat het postkantoor elke avond in orde was, anders werd ome Bing razend. Dat was haar werk voor overdag: enveloppen maken van goedkoop papier. Want echte enveloppen, daar was geen beginnen aan, dat was veel te duur. Oma kon ze maken met haar ogen dicht. Lena en Nelli waren er zo langzamerhand ook supersnel in. Hup, op een derde de vouw, van onder ernaartoe vouwen, vier smalle knipjes geven, randjes vouwen, randjes plakken, punt knippen, klaar.

'Hè, wat zijn jullie al ver!' Oma was met de theepot de kamer binnengekomen. 'Lena, loop even naar de schuur en vraag of Fons en die vriendjes ook thee willen. Hoeveel zijn het er eigenlijk?'

'Drie,' zei Lena.

'Toe maar! Ik heb eigenlijk een weeshuis zonder dat ik het weet.' Oma lachte.

'Dat vind je toch leuk?' zei Lena.

'Ja, wat dacht je! Anders deed ik het heus niet, hoor! Ik zal je eens wat zeggen, ik voel me zó rijk met jullie! Fons en jij zijn het zonnetje in m'n leven. Ik ken genoeg oma's die bijna nooit bezoek krijgen. Vreselijk lijkt me dat, zo'n stil huis, daar zou ik niet tegen kunnen. Je weet toch dat het hier vroeger superdruk was? 's Morgens om half acht liepen de eerste knechten al op het veld, en in de zomer kwamen de scholieren hier bollen pellen.'

Oma ging zitten, haar ogen begonnen te glanzen en ze glimlachte. 'Och, dat was zo'n mooie tijd! Achter de schuur hadden we grote tafels staan. Daar moesten ze de kleine bolletjes van de grote bollen afhalen en op maat in de kisten gooien. En we maakten ook slingers van de bloemen en die verkocht ik vóór op het bruggetje aan de toeristen. Het was altijd een gezellige drukte. Maar toen opa doodging was dat allemaal in één klap verdwenen.' Even keek oma treurig en staarde voor zich uit, richting de bollen.

Daar heb je het weer, dacht Lena, opa!

'Maar toen werden Fons en jij geboren. Net op tijd.' Oma lachte alweer. 'Toen had ik toch weer levendigheid om me heen.'

'En ome Bing had je,' zei Lena.

'Ja, natuurlijk, Bingetje. Maar je moet niet vergeten dat die de hele dag van huis was.'

Lena ging door de achterdeur naar buiten. In de bollenschuur hoorde ze zeerovers; die schreeuwden anders dan dieven. Bovendien hoorde ze water, ze waren met water aan het klooien. Ze ging het donkere gebouw in.

'Of jullie thee moeten!' gilde ze in het wilde weg. 'Met likkoekjes!' Fons dook op uit het duister.

'Alleen als je het hier brengt, anders hoeven we het niet!'

'Dan niet,' zei Lena. Ze zwiepte de deur achter zich dicht. De poes was intussen de schuur uitgeglipt en streek langs haar benen. Ze tilde hem op, hield hem tegen haar wangen en ging even met hem op de tuinbank zitten.

Hier had je het beste uitzicht over de bollenvelden. Die waren in deze tijd op hun mooist. Pal voor haar neus was het knalpaars. Vooraan zag je nog de afzonderlijke tulpen maar een eind verder werd het een paars tapijt. Daarachter een rood tapijt, daarachter een geel, een oranje. Met hier en daar kleine schuurtjes en mannetjes en machines erop, als lelijke zwarte insecten op dat mooie kleed. Als je nog verder keek zag je de duinen, maar zover sloeg ze haar ogen niet op. Want achter die duinen lag de zee, met aan de overkant Engeland en van dat land kreeg ze die buikpijn...

Vandaag was het goed gelukt om niet aan Engeland te denken totdat oma daarnet over dat zonnetje begon. Dat zonnetje waren zíj, Fons en Lena. Oma moest eens weten! Het was om misselijk van te worden.

Ineens kon Lena er niet meer tegen, ze was het zat met dat geheim! Vanavond zou ze tegen mam en papa zeggen dat ze het aan Nelli ging vertellen. Nelli! Nou, dan zouden ze wel als een speer naar oma gaan.

Geen smoesjes meer

'Hé, kom nou! Ik ga alles niet alleen doen, hoor!' Nelli had haar hoofd om de deur gestoken en keek naar Lena op de tuinbank. 'Is er trouwens wat?'

'Nee, ik kom.'

De thee was lauw en Nelli's stapel was gegroeid. Lena schrok, Nelli had weer een van haar ideeën gekregen. Die kon er niet tegen als iets lang hetzelfde bleef en had met viltstift rode en blauwe zigzaglijnen langs de randen van de enveloppen getekend.

'Leuk hè,' zei Nelli, 'als jij het nou met geel en groen doet, dan weten we altijd wie de envelop gemaakt heeft.'

'Heeft oma het al gezien?' vroeg Lena. Ze wist bijna zeker dat het niet goed was. Ome Bing kon er niet tegen als er iets veranderde, de enveloppen waren al twintig jaar wit. Ze moest denken aan de keer dat haar moeder ome Bing koffie gaf in een verkeerde beker. Die had hij zó met koffie en al van de tafel geveegd; hij dronk alleen maar uit zijn eigen beker met het blauwe randje. Ome Bing moest ook altijd op zijn eigen stoel zitten en het postkantoor was in al die jaren niet gemoderniseerd.

'Nee, je oma is in de keuken,' zei Nelli. 'Maar het is toch mooi? Het is weer eens wat anders.'

'Ik denk dat ome Bing er niet tegen kan,' zei Lena zacht.

'Ach, dat merken we dán wel weer,' lachte Nelli.

'Nou ja, we kunnen het proberen.' Lena nam een groene stift en begon te zigzaggen. Gek, ze wist zeker dat ze gelijk had, maar ze ging altijd weer met Nelli in zee. En ideeën had Nelli genoeg, te veel om op te noemen.

Eergisteren nog had Nelli bedacht om een gaatje in een euro te boren en er een touwtje aan vast te maken. Ze zouden dan bij de snoepautomaat die euro erin gooien en steeds weer terugtrekken, zodat ze voor altijd een gratis snoepvoorraad hadden.

Het gaatje boren konden ze natuurlijk niet, dat had Fons gedaan in papa's werkschuur. Maar toen ze het gingen proberen bij de automaat brak het dunne touwtje en de euro verdween. Nelli had meteen een nieuw plan bij de hand: bij oma euro's namaken van karton, even dik en even groot. Daar waren ze uren mee bezig geweest. Steeds weer van oma naar de automaat en terug. Op het laatst zaten ze tussen de geparkeerde auto's met het nagelschaartje randen bij te knippen. De kartonnen euro's gingen er wel in, maar je hoorde geen klik en de boel raakte verstopt. En toen waren ze het zat, dat hele snoep hoefde ook niet meer.

'Wat krijgen we nou?' Oma was binnengekomen en tilde een versierde envelop op.

'Dat heeft Nelli bedacht,' zei Lena. 'Het is weer eens wat anders.'

'Dat is waar, maar je weet toch hoe Bingetje is? Als hij vanavond deze enveloppen ziet, zit ík met de gebakken peren. Hij kan er niet tegen als er iets verandert, dan raakt hij in de war. Begrijpen jullie dat?'

'Ja,' zeiden ze tegelijk. Nelli was al bezig de zigzagenveloppen van de stapel te halen.

'Ik hou ook niet zo van veranderingen,' zei Lena plotseling. 'Alles moet een klein beetje hetzelfde blijven.' Ze schrok; wat had ze er nou uitgeflapt? Dadelijk zouden ze verder gaan vragen! Ze voelde haar wangen gloeien, nog even en ze ging huilen en ze zou alles vertellen. Het hele geheim van Engeland. Aan oma en aan Nelli, in één klap tegelijk. Gauw schoof ze haar schaar over de rand van de tafel en bukte zich om hem op te rapen zodat ze haar rode hoofd niet zagen.

'Daar heb je Lena weer,' lachte Nelli, 'die wil alles saai. Niks voor mij!'

Oma nam afscheid op het bruggetje over de brede sloot voor haar huis, zo deed ze het altijd. Het leek net of ze de kinderen en de fietsen van het erf af veegde.

Misschien was dat ook wel de bedoeling, want binnen zat ome Bing op zijn prak te wachten.

Fons en Lena gingen als enigen naar links. Ze moesten nog een behoorlijk eind fietsen, hun huis stond aan het begin van het dorp langs de drukke hoofdweg. 'Woon je op een dorp,' zei mam altijd, 'zit je nóg in die pestherrie.' En ze had gelijk, soms was het zó vol op de hoofdweg dat ze niet eens konden oversteken. Ze moesten dan doorrijden tot de rotonde, daar draaien – ook nog levensgevaarlijk – en dan weer terug. En nu de tulpen in bloei stonden was het helemáál een toestand met die stinkende bussen naar de bollen.

Hun huis lag gelukkig een klein eindje van de weg af. Een voortuin hadden ze niet; voor de garage en het huis lagen gewone straatstenen waar de motors van papa stonden, de auto, de fietsen en soms de caravan. Maar als er zware vrachtwagens voorbij denderden, dan schudde het hele huis.

Mam hield zo van de stilte omdat ze opgegroeid was in een heel klein dorp in Engeland. Daar was maar één winkel en één café. En in dat café was mam gaan werken toen ze zestien was of zo. En doordat papa in België met een vriend aan het fietsen was en doordat hij daar bij de haven een kraslot had gekocht, en doordat hij toen iets gewonnen had, namelijk een retourtje Engeland van één dag heen – volgende dag terug, en doordat die vriend had gezegd: 'Ga jij maar, ik zie je morgen wel weer,' en doordat papa toen met de boot overgestoken was en daarna met zijn fiets Engeland was ingereden, en doordat hij toen 's avonds in dat café ging vragen waar een camping was... had hij mam ontmoet.

Als papa een ander lot had genomen, bijvoorbeeld dat van zijn vriend, dan had hij mam nooit ontmoet. 'Ik heb jullie moeder met een kraslot van twee euro gekocht, dat heet nou toeval,' zei papa altijd. En dan kwam hij weer met zijn lijfspreuk: 'En toeval betekent lot, en lot betekent kans, en die kans, die heb ik gegrepen!' Maar hij vergat dat mam het toeval wel een handje had geholpen door in het café zijn telefoonnummer te vragen en in de volgende zomervakantie ineens voor zijn neus te staan. Want ze hield wel van de stilte, maar ze hield ook van avontuur en ze wilde toch wel eens wegkomen uit dat dorp.

En zo bijzonder was dat toeval nou ook weer niet, want bij oma en opa was er net zo goed toeval in het spel geweest. Als oma geen vakantiebaantje had genomen, had ze opa nooit ontmoet bij het bollen pellen. Eigenlijk, als je er goed over nadacht, was alles een beetje toevallig, dacht Lena. Maar daarna moest je nog een hoop zélf kiezen.

Fons en Lena reden nu over het fietspad langs de hoofdweg. Hier konden ze niet meer naast elkaar rijden want ze werden de hele tijd ingehaald. Lena keek naar het wapperende windjack van Fons. Hij wiegde stoer met zijn schouders alsof hij met gemak tegen de wind in reed. Dat stoere was iets van de laatste tijd. Ze vond het vervelend, het leek net of hij wilde laten zien dat hij ver boven haar stond, dat ze niet meer met z'n tweetjes waren. Het stelde natuurlijk geen moer voor, hij was pas twaalf. Een jaar ouder en een kop groter, meer was het niet.

Ze namen de rotonde en fietsten nu weer naast elkaar. Praten deden ze niet. Lena had er geen zin in, en als zij niet begon zei Fons ook niks. Hij was een beetje een stille, net als haar vader.

Op de stoep voor het huis zag ze haar moeders fiets staan, die was dus al thuis. Ze zetten hun fiets op de standaard en liepen door de poort naar de achtertuin. In de keuken was mam aan het koken.

'Hoi mam!' zeiden ze tegelijk.

'Ha Lena, ha Fons. Zijn jullie daar eindelijk?' Haar moeder sprak Lena uit als Liena. En de r sprak ze niet uit met een trillertje, maar met een klank achter in haar keel. Lena kon die Engelse r ook zeggen. Je maakte een gootje van je tong en gooide hem een beetje naar achteren. Fons en zij spraken vloeiend Engels, maar mam kon de Nederlandse r er maar niet inkrijgen.

'Lena, zet deze borden meteen even op tafel. Probeer nou eens iets uit jezelf te doen! Je ziet ze daar toch staan! Nee Fons, nee, niet die tas hier, dan breek ik mijn nek!'

Lena liep met de vier borden naar de kamer. Wat was haar moeder weer opgefokt, zeg! Sinds haar ouders hun spannende besluit genomen hadden, was het niet meer te harden in huis. Alle vier dachten ze nog maar aan één ding: Engeland! Maar niemand praatte erover. In plaats daarvan werd er gemopperd en gesnauwd. Er was nog heel veel wat Lena wilde weten, maar ze vroeg er niet naar. Zolang je je mond hield kon je denken dat het maar een boze droom was. Fons dacht er zeker ook zo over, hij was nog stiller dan anders.

Op tafel was het een zooi. Mam was natuurlijk met de naaimachine aan de gang geweest. Gelukkig geen kleren voor Lena, maar gordijnen en hoezen voor de caravan, zag ze. Ze schoof de naaispullen naar het eind van de tafel en zette de borden neer. Uit het dressoir haalde ze het bestek en de houten plankjes voor onder de pannen. Zo, nu had ze genoeg uit zichzelf gedaan.

Ze liep naar de voorkamer, haalde de doek over de tv weg en ging zitten zappen. Fons plofte sloom naast haar neer. Lena kende niemand die een doek over de tv hing, behalve haar moeder. Die hing overal doeken en kleden over. Ze had een afwijking: ze kon niet stoppen met de naaimachine. Ze had behang van lappen stof gemaakt, vloerkleden, hoezen over kussens, over stoelen, over de paal van de trap. Papa zei altijd: 'Niet stilstaan, jongens, anders naait mam een hoes over je heen.' Zelfs in de badkamer hadden ze lappenbehang en van dezelfde stof een kleedje op de tegels waarover je uitgleed. En omdat het behalve die stoffen overal een bende was, nam Lena niet graag vriendinnen mee naar huis. Behalve Nelli dan, maar die keek er niet meer van op.

'Hallo, ligt het gespuis alweer voor de buis?' Papa was de kamer binnengekomen en aaide van achter de bank over hun haren. Hij had zijn werkkleren nog aan en ook zijn timmermansschoenen met de ijzeren neuzen.

'Ga je straks maar douchen, Bram!' zei mam. 'We gaan eerst eten.'

Onder het eten durfde Lena er niet over te beginnen. Maar toen ze klaar waren en papa en Fons al haastig naar de deur liepen om niet in de keuken te belanden, dacht ze: nu of nooit! Ze ging kaarsrecht staan, sloeg haar armen over elkaar en begon.

'Waarom hebben jullie het nou nóg niet aan oma verteld? Ik weet het heus wel: jullie dúrven het niet te vertellen! En omdat jullie te slap zijn laat je óns met een geheim rondlopen. Jullie denken helemaal niet aan ons! Maar ik doe het niet meer, morgen weet Nelli het, klaar.'

Ze had het plompverloren gezegd, alsof ze een spreekbeurt hield. Ze keek naar haar vader die 'humhum' zei om tijd te rekken. En ze keek naar haar moeder die een pan op tafel terugzette en zweeg.

'Ja,' zei Fons boos. 'Ik heb er ook genoeg van, van dat geheim.' Hij had zich omgedraaid en nu stonden ze met zijn vieren midden in de kamer.

'Kijk mij maar niet zo kwaad aan, Lena,' zei mam. 'Je moet naar je vader kijken. Ik zeg al de hele tijd: "Bram, we moeten er samen heen." Het is zíjn moeder, dat ga ik toch niet in mijn eentje opknappen? En elke dag is het wat anders, steeds maar weer smoesjes. Nu wil hij zaterdag...'

'Maakt mij niet uit,' zei Lena. 'Zoek het maar uit met jullie smoesjes, ík ga het morgen aan Nelli...'

'Nee, nee, nee,' riep haar vader. 'Wacht nou nog even. Na zaterdag mag iedereen het weten.'

'Dat duurt te lang,' zei Lena.

Even was het stil, toen zei haar vader: 'Weet je wat, ik heb een idee. Als mam en ik jullie morgen nou eens ophaalden bij oma? Dan kunnen we het haar vertellen bij een kopje thee. Is dat wat, Jill?'

'Oké,' zuchtte mam, 'maar dan moeten we wel om een uur of half vijf gaan want Bing moet op tijd eten.'

'Ik kom wel een paar uurtjes eerder van mijn werk,' zei papa. Lena zag Fons opgelucht kijken. Dat had ze toch maar mooi voor elkaar gekregen, ook voor hem!

'Hè, hè,' mopperde mam, 'nou kan het ineens wel.'

'Zeur niet,' zei papa.

Onze droom

'Daar heb je Jill en Bram al!' riep oma. 'Ze zijn met de auto.'

'Ja,' zei Lena zonder op te kijken. Ze zaten met zijn drieën aan tafel. Lena en oma waren aan het vouwen en Fons knipte punten. Vandaag hadden ze hun vrienden niet meegenomen. 'Hoezo dat?' had oma daarstraks gevraagd.

'Omdat papa en mam ons vroeg komen ophalen,' hadden ze uitgelegd.

'Waar moeten jullie dan heen?'

'Weet ik niet,' had Fons gemompeld. En toen hadden ze allebei een rooie kop gekregen. Oma had alleen maar 'poeh poeh' gezegd en verder niets gevraagd, maar ze had hen wel met toegeknepen ogen en opgetrokken wenkbrauwen aangekeken.

'Ha ma, daar zijn we!' Hun vader en moeder waren de kamer binnengekomen.

'Ja, dat zie ik,' bromde oma.

'Heb je een bakkie thee?' vroeg mam overdreven opgewekt. 'Jeetje, dat jullie niet buiten zitten met dit weer!'

'Daar vliegen de enveloppen weg,' zei oma kortaf.

'Ik zet de tuinstoelen wel even buiten,' zei papa. Lena stond op om hem te helpen. Iedereen dribbelde een beetje door elkaar. Ze gingen achter het huis zitten met hun stoelen gekeerd naar de gloeiend rode kleuren van het bollenveld. Het leek op een brand waar ze hun ogen niet vanaf konden houden.

'Gezellig zo!' zei mam vrolijk. Ze graaide een koekje uit de trommel en doopte het in de hete thee.

'Waar moesten jullie nou naartoe?' vroeg oma een beetje kribbig.

'Nergens,' antwoordde papa. 'We komen zomaar voor de gezelligheid.'

'Maak dat de kat wijs!' blafte oma. 'Jullie willen iets vertellen. Dacht je dat ik niks in de gaten heb? Bram, kijk míj nou eens aan en niet die tulpen!'

'Nou ja,' zei papa.

'Vertel het nou maar, Bram,' zei mam.

'Het is,' zei papa, 'dat we van plan zijn, eh...' Lena hield even haar adem in, ze staarde in de verte waar kleine poppetjes op het veld liepen.

'O hemel, ik weet het al!' riep oma verschrikt. 'Jullie gaan verhuizen. Toch niet het dorp uit, hè? Dát ga je me toch niet vertellen?'

'Nou, eh, nee, niet zozeer het dorp. Eh ja, dat wil zeggen, het lánd. Het land uit.' Lena zag haar vader rood worden alsof hij een kleine jongen was die zijn moeder iets stouts opbiechtte. Ze begon te begrijpen waarom hij zo lang gewacht had.

Oma zette haar theekop met een trillend gerinkel op de schotel. Ze perste haar lippen op elkaar en knipperde met haar ogen. Ze probeerde zeker flink te blijven. Maar waarom zei nou niemand wat? Papa zat alleen maar te blozen, mam inspecteerde haar nagels, lekker belangrijk nu. Fons aaide de poes alsof hij er een prijs mee kon winnen en zij, Lena, durfde zich niet te bewegen. Dit was afschuwelijk, dit was het ergste dat ze ooit had meegemaakt en papa en mam waren de schuld.

'Het land uit.' Oma's stem klonk alsof het geluid onder een zakdoek vandaan kwam.

'Ach ma, het is Engeland maar, hoor.' Eindelijk was Lena's moeder in actie gekomen. 'Kijk, Bram en ik zijn er al heel lang mee bezig. We zijn op een punt gekomen: is dit nou ons leven? Er moet toch méér zijn!'

'Nee, méér is er niet. Neem dat maar van me aan!' zei oma fel.

'Nou ma,' zei papa, 'hoe weet jij dat nou? Wij denken in ieder geval dat het leven nog meer te bieden heeft. Kijk, voor Jill is het heel moeilijk om in dit drukke land te wonen en...'

'In de buurt van Duinrust komt een huisje vrij,' viel oma hem in de rede, 'daar kun je een speld horen vallen.'

'Voor Jill is het moeilijk,' ging papa verder. 'Ze wil sowieso stiller gaan wonen. Maar dat is het niet alleen, haar baan komt haar neus uit.'

'Er komt zovéél mijn neus uit,' mompelde oma. Nu werd het papa te veel, zag Lena. Hij trommelde met zijn hand op tafel.

'Verdorie ma, wil je het nou horen of niet? Je laat me uitpraten of ik zeg niks meer!' Oma sloeg haar ogen neer. Lena vond het zielig, ze had wel even haar handen over oma's arm willen strijken, maar ze zat te ver weg.

'Weet je wat het is, ma?' zei mam met een zachte stem. 'Mijn baan is heus wel aardig hoor, maar ik kom er geen steek verder mee. Ik werk nou al jaren in Reseda. Altijd maar achter die bar staan en naar die tafeltjes op het terras lopen. Altijd maar naar de pijpen van de baas dansen. Als het druk is, ren ik me rot en krijg geen cent méér.'

'Je hebt het motorcafé toch ook?' zei oma.

'Ja, dat is wel leuker. Omdat daar onze vrienden zitten, ja. Maar dat is alleen 's zomers in de weekenden, dat heb ik nou wel gezien. Nee, het is altijd mijn droom geweest om zelf iets te gaan runnen, een restaurant of een café of zoiets. En omdat Bram het ook zat is om zich voor een baas af te beulen, hadden we bedacht om samen zoiets te beginnen. Idealer kan je het niet hebben, Bram kan alles maken en ik kan alles koken en verzorgen. Het is al jaren onze droom, hè Bram?'

'Ja,' zei papa. 'Maar je moet maar net ergens tegenaan lopen. Nou, en toen we van de winter in Engeland waren, zijn we ergens tegenaan gelopen.'

Lena ging voorover zitten met haar ellebogen op tafel, want nu zou dat ingewikkelde verhaal komen. Ze moest dat straks ook kunnen uitleggen aan Nelli en voorlopig snapte ze er nog niks van.

'We voelden het tegelijk: dit is onze droom!' ging papa verder. 'Deze kans moeten we pakken. We ontdekten daar namelijk een gat in de markt.'

'Een gát in de markt?' vroeg Lena. Zou Nelli weten wat dat was? Zij niet in ieder geval.

'Dat betekent dat je ziet dat je ergens iets kunt verdienen waar nog niemand aan gedacht heeft. Dus in de markt zat toch nog een gat,' zei haar vader.

'Ik snap het niet zo goed,' zei Lena.

'Nou, ik zal een voorbeeldje geven,' zei papa. 'Stel, er is een eilandje waar geen winkel is. Die mensen daar zouden dolblij zijn als er wél een winkel was, dan zouden ze niet de hele tijd naar het vasteland hoeven te varen om boodschappen te doen. Die winkel zou lopen als een tierelier. Maar het gekke is dat er nooit iemand op het idee is gekomen om daar een winkel te beginnen. Nou, als je zoiets tegenkomt, ontdek je dus een gat in de markt. Zogezegd een gaatje dat over het hoofd is gezien. Snap je?'

'Ja,' zei Lena.

'Bram, ga nou es verder met die droom,' zei oma ongeduldig. 'Jullie kwamen in Engeland ineens je droom tegen. Wat mag dat dan wel voorstellen?'

'Bram heeft het al verteld, ma,' zei mam vriendelijk.

'Bram heeft nog helemaal níks verteld, wat krijgen we nou?' riep oma uit. 'Jullie draaien maar om de hete brij heen. Ik word er tureluurs van!' Lena had oma nog nooit zo boos gezien. Ze wou dat ze er niet bij was gaan zitten. Ze had met Fons naar de schuur moeten gaan.

'Ma, rustig nou, Bram heeft het wél verteld. Het was dat voorbeeldje van dat gat in de markt.'

'Je bedoelt toch niet dat winkeltje op dat eilandje?' vroeg oma ongelovig. Mam sloeg haar ogen neer en zei: 'Ja, ma.'

Eb en vloed

'Kijk, hier is het!' Papa had de zaak goed voorbereid. Hij had een landkaart van Engeland uit zijn tas gehaald en op tafel uitgespreid. Lena boog zich ook voorover, net als oma en Fons, want dit had zij nog niet gezien. Haar vader wees een piepklein eilandje aan, vlak voor de kust in de Noordzee.

'Als je een beetje doorzwemt kom je hier bij oma uit!' lachte mam. Bij oma, dacht Lena, mam deed al net of zij hier niet meer woonden.

'Maar dat is toch geen eiland?' zei oma. 'Ik zie daar een weg naartoe lopen.'

'Nou,' zei papa vrolijk, 'dat wou ik nou net gaan vertellen. Die weg, dat is een soort dijk naar het eiland toe, dat is juist het probleem voor die mensen. Kijk, je hebt daar eb en vloed, óm de zes uur laagwater en hoogwater. Bij eb is het water zó laag dat je niet meer naar het eiland kunt varen. Je moet dan over die dijk naar het eiland rijden met je auto. Het is wel een hobbeldebobbelweg met diepe plassen, schelpen en rotzooi uit het water, maar het gaat. Alleen, je hebt maar een paar uur om eroverheen te rijden, want daarna stijgt het water weer, en met vloed is de dijk helemaal verdwenen. Als je dán naar het eiland wilt, moet je juist varen. Maar dan moet je ook goed op de tijd letten, want algauw wordt het te laag om te varen en zit je vast.'

'En dan te bedenken dat je zó het bollenbedrijf van pa had kunnen overnemen!' zuchtte oma.

'Nou, moet je je eens voorstellen!' Papa ging gewoon verder. 'Een mevrouw woont op het eiland en wil eten inslaan voor een week. Om tien uur 's morgens is het laagwater en kan ze eindelijk met haar auto over de dijk om boodschappen te doen aan de wal. Voor de grote supermarkt moet ze nog twintig minuten rijden naar een klein stadje. Maar als ze terug wil kan ze al niet meer veilig over de dijk rijden, want dan begint het water op te komen. Ze heeft wel een boot, maar die ligt nog op het eiland. En ze heeft wel een man die haar met die boot zou kunnen oppikken, maar die is visser, die is overdag op zee.

Gelukkig heeft de buurvrouw ook een boot en kan haar ophalen. Maar die buurvrouw moet eerst drie uur wachten tot het water hoog genoeg is om te varen. Afijn, dan wordt mevrouw opgehaald, ze laat de auto op het vasteland staan en gaat met de boodschappen de boot in. Oké, dan is ze om vier uur thuis, maar hoe haalt ze die auto weer op? Met de boot kan niet, want als je kunt varen kun je niet over de dijk rijden. Dus ze moeten wachten tot het water laag staat – dat is zo'n zes uur later – en de buurvrouw weer vragen of ze haar met de auto naar de overkant wil brengen. Al met al is ze de hele dag kwijt, maar dat is nog niet het ergste. De volgende dag wil de buurvrouw boodschappen doen en is onze mevrouw de klos om te helpen. Ze moet dan ook heen en weer met de boot en 's avonds met de auto. Zo zijn er alweer twee dagen naar de haaien.'

'Wie verzint het om daar te gaan wonen!' riep oma met haar handen in de lucht.

'En wat wij daar nou willen opzetten is...' papa zweeg even en keek nogal stoer de kring rond. 'We beginnen eenvoudig, hè Jill?' Lena keek naar haar moeder, die glunderde van plezier. Dat was wel fijn om naar te kijken, vond Lena. Zo had ze mam al een tijd niet meer gezien.

'Ja,' zei mam, 'we willen niet meteen het schip in gaan! Hahaha.'

'Kijk, dat doen de meeste mensen fout,' ging papa weer verder. 'Ze kopen daar ik weet-niet-wat, en als de onderneming mislukt zijn ze al hun geld kwijt.'

'Zeg nou es wat je van plan bent,' mopperde oma.

'Goed, we beginnen eenvoudig. We kopen niet meteen een huis, maar we gaan voorlopig in onze caravan op het eiland wonen. Wel moeten we een bootje kopen, daar ontkom je niet aan. Dan zetten we – en nou komt het, ma – een boodschappendienst op. De mensen kunnen bij ons opgeven wat ze willen hebben. En niet alleen eten, hè Jill, maar ook een tv, een wasdroger, maakt niet uit. Wij zorgen ervoor dat die boodschappen klip en klaar op het eiland komen.'

'Maar dan moeten jullie toch net zo ingewikkeld goochelen als die mensen?' zei oma.

'Ja, ma,' zei Lena's moeder, 'maar wij hebben verder niets te doen. Dat is dan ons werk. Ik doe dan bijvoorbeeld al die boodschappen en Bram haalt me op met de boot, en we hebben de motor om naderhand de auto weer op te halen van het vasteland.'

'Pff, hoe kun je dáár nou de kost mee verdienen?' Oma lachte schamper. Nu vond Lena het weer zielig voor mam, die was zo enthousiast aan het vertellen.

'Ja maar, ma,' ging haar moeder verder, 'dit is nog niet alles. Er worden daar op het ogenblik allerlei zeilboten gemaakt en ze zitten te springen om goede timmerlui. Dus Bram kan daar zo aan de slag, hè Bram?'

'Ja, wat denk je, ma, nooit meer op die steigers staan in de nieuwbouw, maar het precieze timmerwerk van boten!' lachte papa. Het was fijn om papa zo vrolijk te zien. Lena keek naar Fons, zelfs hij had een glimlach om zijn mond.

'Nou ja,' zei mam, 'dit is nog maar de eerste stap. Als de boodschappendienst goed loopt, verkopen we ons huis in Nederland en kopen daar een huis met een winkel. In die winkel slaan we voorraden op, voedsel, shampoo, luiers, lampen enzovoort. We weten dan immers precies wat iedereen zo'n beetje nodig heeft. En de derde stap is een cafeetje erbij met een kleine camping, maar dat is nog een verre droom.' Mam keek vrolijk de kring rond.

'Ja,' glunderde papa, 'want toeristen zijn er nog niet. Maar als je niet heen en weer hoeft voor de boodschappen, dan is het daar prachtig! Aan de zeekant van het eiland zijn kleine duintjes, daar valt de zee niet droog en kun je altijd zwemmen. Caravans kunnen moeilijk op het eiland komen, daar is de dijk veel te hobbelig voor. Maar we mikken op motorrijders met kleine tentjes. Leuk hè, dan zien we elk jaar onze motorvrienden terug. Ik zie het helemaal voor me!'

Oma glimlachte flauwtjes en wilde opstaan.

'Nou ma, wat vind je ervan?' vroeg mam.

'Wat ik ervan vind?'

'Ja.'

'Wat moet ik zeggen?' Oma was weer gaan zitten, ze zette haar ellebogen op tafel en steunde met haar kin op haar handen.

'Nou?' vroeg mam.

'Wat ik vind?' zei oma. 'Ik vind het rot.' En toen zag Lena tranen uit oma's ogen lopen. Tranen! Lena had altijd gedacht dat oma die niet had. Ze zat verstijfd op haar stoel en keek voorzichtig om zich heen. Niemand deed wat, niemand zei wat. Haar vader trommelde met zijn vingers op tafel, zijn vrolijke gezicht was op slag verdwenen. Mam begon weer aan haar nagels te pulken.

Opeens tilde oma haar hoofd op en veegde haar natte wangen af.

'Maar jullie moeten het beslist doen, hoor! Het is júllie leven, het is goed dat je dingen doet die júllie belangrijk vinden. Ik heb Bram altijd geleerd: ga je eigen neus achterna. Nou, dan moet ik niet piepen, dan krijg je dít. Maar bekommer je maar niet om mij, ik red me wel. Wie wil er nog thee?'

Lena en Fons stonden snel op. Ze hoefden geen thee meer en ze hoefden al helemaal niet meer bij dat gepraat te zijn. De deur van de bollenschuur stond open en ze gingen naar binnen. Het was er donker, de luiken zaten nog dicht. Fons gooide er twee open. Ze gingen op de matras bij het raam zitten en haalden stripboeken uit de kist. Buiten hoorden ze hun ouders overdreven lachen en praten.

'Stomme zooi,' zei Fons. Hij spuugde op zijn bril en veegde hem af aan zijn T-shirt.

'Ja,' zei Lena. 'Ze hebben helemaal niet aan oma gedacht.'

'Nu zullen we wel vaak bij oma-Engeland komen,' zei Fons.

'Die vind ik eng,' zei Lena. 'Ze praat raar en ze ruikt naar gekookte aardappels.'

'Lekker toch, gekookte aardappels?' lachte Fons.

'Woont andere oma eigenlijk dicht bij dat eilandje?' vroeg Lena. Ze hoopte maar van niet. Fons haalde zijn schouders op, hij stond op om het raam op een kier te zetten. Nu konden ze hun vader horen praten. Die zat te overdrijven dat er op het eiland zulke aardige mensen woonden. 'Ze willen ons met alles helpen!'

'Je zult wel beter Engels moeten praten, Bram!' Dat was de stem van hun moeder. 'Die uitspraak van jou is niet om aan te horen.'

'Dan staan we kiet,' hoorden ze hun vader bulderen, 'want jouw Nederlandse uitspraak is ook niet om over naar huis te schrijven.'

'Wat zal het fijn zijn om weer mijn eigen taal te spreken!' riep mam uit.

Oma hoorden ze niet. Zat die nou nog te snikken, of zou ze al glimlachen? Misschien zat ze er niet eens meer bij en was ze het huis in gegaan. Ha, eindelijk hoorden Fons en Lena haar stem.

'Ahum, mag ik er ook eens tussenkomen?'

'Ja ma, vraag maar raak.' Dat was hun vrolijke vader weer.

'Ik heb nog één heel belangrijke vraag,' zei oma. Lena en Fons bogen zich naar het open raam om de zachte stem van oma beter te kunnen horen.

'Hoe zit het met de kinderen?'

'Wat bedoel je, ma?' vroeg mam. 'Bedoel je ónze kinderen?'

'Ja natuurlijk, wie anders. Je gaat emigreren voor een betere toekomst van je kinderen. Daar doe je het voor, dat is normaal. Hebben ze op dat eilandje soms betere scholen, of betere sportclubs, bioscopen, boekwinkels?'

'Hè ma,' zei papa, 'doe niet zo flauw, je weet best dat er niks is op dat eiland. Er wonen nog geen honderd mensen. Maar er is natuur. Ze zullen de natuur leren waarderen, hè Jill?'

'Ja,' hoorden ze mam, 'en er zal heus wel een school zijn in dat stadje aan de wal.'

'Heb je dat dan nog niet onderzocht?' Oma's stem trilde.

'Ach,' zei mam, 'ze zijn daar heus niet alleen, hoor. We zagen zo'n gezellige troep kinderen op de kademuur zitten wachten op de boot. Je zult zien, dat wordt dolle pret met elkaar. Ze moeten natuurlijk wel wat vroeger opstaan, maar dat is goed voor ze.'

'Wat vinden de kinderen eigenlijk van het hele plan?' vroeg oma. Fons en Lena keken elkaar aan en spitsten hun oren.

'Wat de kinderen ervan vinden?' hoorden ze mam kwetteren. 'Ach, die mokken en zeuren wat. Die willen hun vriendjes niet kwijt. Maar je weet hoe kinderen zijn, zo gauw je dáár bent, zijn ze het hier vergeten!'

Ik moet mee

Nelli en Lena fietsten van school naar oma. Ze staken bij de stoplichten over en reden nu op de stille weg langs de sloot. Meestal telden ze de bruggetjes en de huizen, nog zeven, nog zes. Maar nu praatten ze niet.

'Ben je kwaad of zo?' vroeg Nelli.

'Nee hoor,' antwoordde Lena. Ze draaide haar mond in een lach en waaierde luchtig met één hand door haar haren. Alsof ik in een vrolijke film speel, dacht ze, maar dit was geen film, dit was echt en helemáál niet vrolijk. Want dadelijk zou ze het vertellen aan Nelli. Van Engeland, van het eilandje, van voorgoed uit elkaar...

Het moest maar meteen na de boterhammen gebeuren. Ze zou met Nelli in de bollenschuur gaan zitten. Op de zolder, anders liepen Fons en die drukke jongens in de weg.

'Vanmiddag gaan we iets spannends doen!' riep Nelli vrolijk.

'Wat nou weer?' vroeg Lena. Ze moest denken aan vorige week woensdag toen ze op de begraafplaats in een schuurtje hadden gekeken en ze op de heenweg plakken kaas door de brievenbus van mevrouw Kortekaas hadden gegooid. Dat laatste was trouwens niet zo goed afgelopen.

'Ik vertel het straks, als we gegeten hebben.'

'Dan heb ik ook iets te vertellen!' zei Lena onmiddellijk. Ze keek voorzichtig opzij en zwabberde met haar fiets van de zenuwen.

'Wat dan?' vroeg Nelli. 'Zie je wel, er is iets, ik dacht het al.'

'Ik vertel het óók pas als we gegeten hebben,' zei Lena streng. 'In de bollenschuur.'

Ze keek naar de ogen van Nelli die uitpuilden van nieuwsgierigheid, en naar haar mond die van verbazing openhing. Nu slingerden ze allebei; bijna haakten ze met de sturen in elkaar. Opeens begon Nelli keihard te sjezen en Lena wist nu al dat Nelli dadelijk haar brood naar binnen zou schrokken om zo snel mogelijk in de schuur te zijn.

'We gaan emigreren.' Het was eruit geschoten zodra ze op de groengestreepte matras op de zolder zaten. Ze had het zachtjes gezegd, maar erúít was het. Lena schrok er zelf van.

'Yes, wauw!' lachte Nelli.

'Nee, serieus.'

'Geintje zeker!'

'Nee, écht. Mijn moeder wil weer in Engeland wonen. Ze gaan een winkel beginnen en een restaurant en een camping.' Nu zag Nelli dat het waar was, haar mondhoeken zakten naar beneden.

'Op een eiland,' zei Lena.

'Dat... dat kan toch niet?' fluisterde Nelli. 'En wij dan?'

'Wij moeten uit elkaar.'

'Maar...'

'Ik moet mee. Er is niks meer aan te doen,' zei Lena. Ze voelde tranen opkomen.

'Ik geloof het niet,' zei Nelli beslist.

'Vraag het maar aan Fons. We mochten het vandaag pas vertellen.'

'En wanneer is dat dan?'

'Aan het begin van de zomervakantie,' zei Lena met een hap adem erbij. Ze waren een poosje stil, toen zei Nelli: 'Maar dat pik je toch niet!'

'Wat moet ik? Ik moet toch gewoon mee?' Lena haalde haar schouders op.

'Er valt vast wel iets te bedenken. Je ouders mogen dat toch niet zomaar doen! Een kind uit zijn eigen land zetten, dat is toch ontvoering? Wat zijn jouw ouders toch erg! Die van mij zouden zoiets nooit...'

'Eh, nou ja,' zei Lena gauw, ze begon zich alweer flink te schamen voor haar vader en moeder. 'Ik begrijp ze wel, ze kunnen daar eigen baas worden van een grote winkel en een groot restaurant. Mijn vader gaat daar schepen bouwen. En omdat mijn moeder Engels is...'

'Toch vind ik het belachelijk,' zei Nelli boos. 'Hebben ze wel eerst aan Fons en jou gevraagd of jullie het wilden?'

'Eh, nee.'

'Zie je wel! Ontvoering! We gaan er iets op verzinnen!'

Lena zuchtte, dat was nou echt weer wat voor Nelli, die ging meteen een plan bedenken. Ze ging een beetje dichter tegen Nelli aanzitten. Nu kon het nog.

'Wat wou je dan verzinnen?' vroeg ze mat.

'Dat weet ik natuurlijk nog niet, stomkop! Je gaat juist iets verzinnen omdat je iets niet weet,' zei Nelli. 'Maar het mag gewoon niet doorgaan, klaar. Wij móéten bij elkaar blijven.'

'We kunnen mailen en skypen,' zei Lena. 'En ik kom natuurlijk elke vakantie bij oma.'

'Ook zielig voor je oma, trouwens,' zei Nelli verontwaardigd. 'Nou ja, ik blijf wel bij oma eten en helpen met de enveloppen, dan is het niet zo erg voor haar.' Lena voelde een kramp in haar buik. Nelli bij oma en zij op dat eiland! Ze kon het niet verdragen.

Ze wisten niet meer wat ze tegen elkaar moesten zeggen. Beneden hoorden ze de jongens de schuur binnenkomen. Nelli ging achterover liggen. Ze was nu vast en zeker iets aan het verzinnen, dacht Lena. Nelli meende dat ze altijd alles kon oplossen, maar dit keer zou het moeilijk worden, dat wist Lena zeker.

Lena kreeg gelijk: er was niemand die haar vader en moeder nog tegen kon houden. Binnen een week lag het hele huis overhoop. Fons moest zijn kamer uit en bij Lena slapen. Zijn kamer werd leeggeruimd en daarna gevuld met alles wat mee zou gaan. Ze zouden de caravan tot de nok toe volstouwen en als ze op het eiland waren, zouden er een hele hoop spullen in een tent gaan zoals papa's timmergereedschap, apparaten en koffers met kleren. Die tent was van de motorclub geweest, het was eigenlijk een soldatentent. Maar hij nam zo veel ruimte in beslag, dat de halve caravan al vol was. Daarom gilde mam de hele tijd dat dít niet mee mocht en dát niet. Soms had ze al dingen in dozen weggezet op Fons z'n kamer en dan had ze ze toch nodig en moest ze die dozen weer openen. Door al dat gescharrel op de kamer van Fons was mam het overzicht totaal kwijtgeraakt en konden Fons en Lena er stiekem spullen bij leggen.

Dit was niet 'verhuizen', dacht Lena, dit was 'vertrekken'. Dit was 'weg land, weg dorp, weg oma, weg Nelli, weg tennis, weg klas, weg vriendjes, weg strand, weg alles. Dit was verschrikkelijk!

Maar toch was er iets raars aan de hand: hoe leger het huis werd, hoe meer zin Lena kreeg om dan ook maar weg te gaan. In deze ongezellige bende wilde ze niet meer blijven. Bovendien liepen haar ouders zingend door de kale kamers en kletsten vrolijk over hun plannen. En omdat daarbij om de haverklap het woord 'caravan' viel, leek het of ze op een lange, spannende vakantie gingen.

Op school had Lena niets hoeven te vertellen. Dat had Nelli natuurlijk gedaan, meteen na die middag op de matras. Ze had het verhaal in geuren en kleuren verteld aan iedereen die het maar wilde horen. En als de kinderen Lena vroegen: 'Is het waar dat je weggaat?' hoefde ze alleen nog maar te knikken en iets van restaurant en camping te mompelen. Op de vraag of ze het leuk vond zei ze maar 'ja', want ze schaamde zich. Ze wilde niet nóg eens horen dat haar ouders ontvoerders waren.

Door het geklets van Nelli was het eiland met de dag groter geworden, het restaurant had nu een terras met uitzicht op zee en de camping lag prachtig verscholen in de duinen. De boodschappendienst, waar papa en mam mee zouden beginnen, kwam in het hele verhaal al niet meer voor. Gelukkig maar, vond Lena, want daar kon je echt niet mee aankomen! Emigreren om een boodschappendienst op te zetten!

Omdat Nelli het restaurant steeds mooier had gemaakt, moest Lena doorgaan met opscheppen tot ze er op het laatst zelf in geloofde. Zo kreeg ze er toch vanzelf een beetje zin in.

En er was ook iets fijns: de kinderen op school keken tegenwoordig anders naar haar, ze keken tegen haar op, dat voelde je. Ze was niet meer de grijze muis tussen de andere muizen, ze was opeens een bijzondere witte muis geworden.

Alles bij elkaar leek het wel of ze in een trein was gestapt die niet meer kon stoppen. Of je wilde of niet, je moest mee.

Naar Engeland ging die trein en aan teruggaan dacht je niet meer.

Kiezen en verliezen

Vandaag was het zaterdag. Lena was vroeg opgestaan, Nelli zou al om negen uur komen. 'Zeker om hier te koekeloeren,' had Fons gezegd. 'Ze is jaloers op jou, ze zou willen dat zíj op reis ging.' Misschien had Fons wel een beetje gelijk, maar zoiets mocht je niet hardop zeggen, zoiets moest in je achterhoofd blijven hangen.

Lena deed de voordeur open. Er woei een zachte zeewind en de lucht was wolkeloos, dit zou een mooie dag worden. Ze keek de weg af. Er was nog maar weinig verkeer. Voor de bollenbussen was het nog te vroeg, er waren ook geen fietsers in aantocht. Ze ging naar de keuken waar mam koffie stond te drinken in haar pyjama, die slonzig en slobberig was maar gelukkig met lange mouwen.

'Is Nelli er nog niet?' vroeg haar moeder.

'Nee,' zei Lena.

'Hier, ik heb brood voor je gemaakt.' Lena pakte het houten

bordje aan en ging in de voorkamer voor het raam zitten. Ze was een beetje zenuwachtig, Nelli was gisteren nagebleven om samen met de meester een afscheid te organiseren. Dat moest geheim blijven van de meester, zei Nelli, maar Lena zou het dadelijk vast en zeker te horen krijgen.

Kijk, daar kwam Nelli al aanscheuren, haar donkere haren wapperden voor haar gezicht. Ze had een T-shirt en een korte broek aan, zag Lena, net als zij.

'Hoi,' zei Nelli. 'Ben je alleen, slaapt iedereen nog?'

'Nee, m'n moeder is daar, in de keuken.' Nelli liep ernaartoe want ze kreeg thuis gezeur als ze niet gedag zei.

'Dag Jill,' zei ze opgewekt.

'Hé, dag Nelli. Kom je Lena helpen met spullen uitzoeken?'

'Nee, we gaan iets anders doen, denk ik.' Nelli draaide zich alweer om en ging bij Lena op de bank zitten.

'Heb je met de meester gepraat?' vroeg Lena.

'Ja.'

'En?'

'Ik mag er niets over zeggen,' zei Nelli geheimzinnig. Lena moest lachen.

'Dan niet,' zei ze stoer.

'Nou ja,' zei Nelli, 'het komt erop neer dat je op de laatste dag voor de vakantie mag vertellen over Engeland. Je kunt dan foto's van het eiland en het restaurant en zo meenemen en op de landkaart aanwijzen waar je naartoe gaat. En je moet ook op het bord je nieuwe adres schrijven, dan kan iedereen je kaartjes sturen. Op het laatst gaan wij buiten staan en zingen een lied. En dan ga je weg en staan wij aan de zijkanten met vlaggetjes te wapperen. Net als bij een bruid! Nou?'

'Leuk,' zei Lena. 'Maar een lied, wat voor 'n lied?'

'Dat mag je nog niet weten, dat is supergeheim.' Lena wachtte rustig af.

'Het is in ieder geval op de wijs van "In Holland staat een huis".'

'Wat zingen jullie dan?'

'Eh, nou ja, het begint zo: In Engeland staat een huis, in Engeland staat een huis, in Engeland staat een huis ja ja, van je singela singela hopsasa. En verder weet ik het niet zo goed, iets van Fons en Lena hopsasa. We zingen het van een papiertje.'

Lena leunde achterover, ze wilde niets meer over het lied horen. Een huis! gingen ze zingen, er was nog geeneens een huis, alleen een caravan en een soldatentent.

'Zou Fons ook moeten vertellen in de klas?' vroeg ze gauw.

'Ik weet het niet,' antwoordde Nelli.

'Maar die foto's, wat voor foto's moet ik dan laten zien?' Lena kreeg het benauwd.

'Nou gewoon, van het restaurant of zo.'

'Maar dat is er toch nog niet?'

'O nee,' zei Nelli. 'Even denken, dan zeg je dat de foto's al ingepakt zijn en dat je ze niet meer kan vinden. Je wijst gewoon de plek aan op de kaart en schrijft het adres op, klaar.' Lena was opgelucht. Een beetje vertellen, een lied en vlaggetjes, dat was allemaal niet zo eng.

'Ik heb m'n zwemspullen bij me,' zei Nelli. 'M'n moeder zegt dat het vanmorgen vloed is en ik mag naar zee als Fons en zo ook meegaan.'

'Top,' zei Lena. 'Alleen, Fons ligt nog in bed.'

'Ik maak hem wel wakker,' zei Nelli. Lena stond op en liep naar haar moeder in de keuken.

'We gaan naar het strand.'

'Is het wel vloed?'

'Ja.'

'Alleen als Fons en de jongens ook meegaan.'

'Ja, ja,' zei Lena.

'En ik laat papa op de motor naar de boulevard gaan om een kijkje bij jullie te nemen.'

'Dat wil ik niet.'

'Weet ik en toch komt hij.'

'Oké, maar niet in zijn motorpak.'

'Nee, nee,' zei mam.

Op de boulevard maakten ze hun fietsen vast aan het prikkeldraad, Lena, Nelli, Fons en de broertjes Landman. Met hun rugtassen over hun schouders bleven ze even staan. Eerst keken ze natuurlijk of er wel goeie golven waren om overheen te duiken. Nou, die waren er, hoog en blauwpaars en ze sloegen over in witte schuimkoppen die bruisend over het zand rolden. Daarna keken ze of hun kuil onder aan de strandtent nog vrij was. Ook in orde. En toen, alsof er een fluitje was gegaan voor een wedstrijd, trapten ze hun slippers uit, renden ze de houten vlonders af, sprongen in het mulle zand en raceten door tot de zee. De kleine Wesley Landman was de eerste, maar niemand zei er iets van.

Later, in de kuil, spreidden ze de badlakens uit, die van Nelli en Lena dicht tegen elkaar. Bikini's en zwembroeken hadden ze al aan, ze hoefden hun kleren maar uit te gooien. Bij de vlaggenpaal zag Lena jongens die vorig jaar op hun school hadden gezeten. Ze lagen in een kring op hun buik met oordopjes in. Verderop zag ze de hele familie Van der Staay, compleet met oma en opa, een tent opzetten. Daar zou ze straks met een boog omheen moeten lopen want ze had geen zin meer in vragen over emigreren.

Behalve pootjebaaiers en een paar dobberende hoofden waren er niet veel mensen in zee. Lena en Nelli hadden ook nog geen zin. Eerst moesten hun lijven in de zon gebakken worden als rosbief in de oven en pas als ze warm en bruin gebraden waren, gingen ze het water in.

'Kom op jongens, partijtje!' riep Fons. 'Meiden, ook meedoen!' Hij schopte de bal een eind het strand op en de jongens sprintten er op commando achteraan. Lena en Nelli bewogen geen spier. Ze lagen op hun rug met hun hoofden op kussentjes van zand.

Lena zuchtte diep. Misschien was dit wel het heerlijkste wat er was. Door het ruisen van de zee en het suizen van de wind klonken de stemmen van de mensen gedempt. Als je je ogen dichtdeed leek het net of iedereen heel ver weg was.

Kon het maar altijd zo blijven, hier liggen met Nelli, met Fons en de Landmannetjes rennend in de verte, met de grote jongens bij de vlaggenmast, met de vertrouwde houten strandtent waar ze straks ijs zouden kopen. Ze zou nu gelukkig moeten zijn, maar juist omdat het zo heerlijk was, werd ze er verdrietig van. Dit was misschien de laatste keer dat ze met z'n allen op het strand waren. Als het kouder werd zouden ze niet meer gaan en voor je het wist was het vakantie. Vakantie...

Waarom kon alles niet altijd hetzelfde blijven? Waarom moesten háár ouders nou weer iedereen in de steek laten terwijl het helemaal niet hoefde? Kijk, als Nelli nou dóódging, dan zou ze ook afscheid van Nelli moeten nemen, maar dan kon niemand er iets aan doen. Of oma. Oma dood of zo. Maar dit hadden papa en mam zelf bedacht! Ze werd weer kwaad.

Al een paar nachten had ze erover liggen denken om bij oma te gaan wonen. Die zou het vast goed vinden en dan kon alles blijven zoals het was. Alleen, in dat geval zou ze papa, mam en Fons weer gaan missen, het was om gek van te worden.

Wat zou eigenlijk erger zijn, Oma en Nelli missen en alles wat ze hier gewend was, of mam, papa en Fons missen? Als je dat wilde weten moest je gewoon denken: van wie vind ik het 't allerergste dat hij doodgaat? Ze dacht even diep na: tja, dat zou dan toch mam zijn. Want wat moest ze doen zonder moeder, haar grappige lieve moeder met haar gekke kleren en haar wilde haarbos? Lena huilde bijna van haar eigen gedachten. Maar papa dan? Papa dood kon ook niet, dat was even erg. Dus als je het zó bekeek, moest ze met haar ouders mee.

Dan had ze dus toch gekozen, terwijl ze dat helemaal niet had gewild! Haar ouders hadden haar gewoon gedwongen om te kiezen; ze kon niet meer 'niet kiezen'. Ze deed haar ogen open en draaide haar hoofd om. Nelli lag lekker te sudderen in de zon, te luieren zonder zorgen, in haar roze bikini.

Afscheid nemen betekende eigenlijk dat je gekozen had voor iets anders. En Nelli begreep er niks van, die dacht dat je alles wel even kon regelen, die snapte niet dat als je het ene koos, het andere verloor.

Afscheid

'Ik weet wat,' zei Nelli. Ze ging rechtop zitten en hees de bandjes van haar bikini omhoog.

'Nog niet zwemmen,' zei Lena sloom.

'Nee, iets anders.' Nelli trok haar geheimzinnige gezicht. Lena kwam langzaam overeind, ze streek de zandkorreltjes van haar benen. Als Nelli zo keek, betekende het actie.

'We gaan langs zee lopen en dan vertel ik het. Het is zonder jongens.'

'Goed,' zei Lena. Ze had wel zin in Nelli's plannetje, wat het ook was. Ze liepen zigzag tussen tentjes, ligstoelen, ballende kinderen en met zonneolie ingesmeerde mensen door. Die ingesmeerde mensen keken hen na, iets anders was er zeker niet te doen.

'Zag je al die mensen kijken?' zei Nelli toen ze met hun blote voeten door de zee sloften. 'Het is precies wat ik dacht, ze keken natuurlijk naar onze borsten!'

'Borsten? Maar die hebben we toch niet,' zei Lena.

'Dat is 't hem nou juist. Ze denken: die meiden hebben nog helemaal geen borsten.'

'Nou ja, dat is toch normaal, daar kunnen wíj toch niks aan doen?'

'Daar kunnen we wél iets aan doen, dat had ik juist bedacht, we gaan borsten maken.' Lena moest lachen.

'Kijk,' zei Nelli, 'we doen het met zand. We maken ballen van nat zand en die stoppen we in onze bikini. Droog zand glijdt ertussenuit. Nat zand moet je hebben. En daarna gaan we met onze borsten tussen de mensen lopen.'

Echt iets voor Nelli, dacht Lena. Ze keek even naar beneden, naar haar gestreepte bikinibehaatje. Of dat wel geschikt was.

'We moeten het wel ver weg doen, waar geen mensen zijn,' zei ze vrolijk.

'Ja, we gaan kleien!' gilde Nelli en ze begonnen allebei te rennen, hun voeten petsten in de laatste golfjes.

Het was nog best moeilijk om de behaatjes vol te gooien. De ene keer sijpelden de natte zandklodders ertussenuit en moesten ze in de koude zee gaan liggen om de boel schoon te spoelen. De andere keer zaten er schelpen tussen en staken er vreemde punten uit. Uiteindelijk kregen ze het onder de knie: gewoon het zand met niet al te veel water mengen en even in je hand laten opdrogen en dan beetje bij beetje in je bikini proppen. Nelli streek bij Lena de laatste zandresten weg.

'Er mag niks bovenuit komen,' zei ze, 'anders gaan we af als een gieter.'

'Als iemand het in de gaten krijgt, rennen we gewoon de zee in,' zei Lena. Ze vond zichzelf er wel op vooruitgegaan en ook bij Nelli stond het goed.

'Je moet wel normaal blijven lopen, hoor!' riep Nelli en daar gingen ze, de mensen tegemoet. Met hun hoofden omhoog en een beetje op hun tenen lopend, omdat de boel niet mocht verschuiven. Ze liepen hand in hand tussen de zonnebaders door alsof ze iemand zochten. En ze werden heerlijk aangegaapt, precies zoals Nelli had voorspeld.

'Zullen we langs de grote jongens lopen bij de vlaggenpaal?' vroeg Nelli.

'Ja, lachen,' antwoordde Lena. Ze kreeg de smaak te pakken. Bij de paal zagen ze dat de jongens aan het volleyballen waren. Ze bleven aan de kant staan alsof ze geïnteresseerd waren in het spel.

'Kicken hè, als ze kijken!' griezelde Nelli. Ze deed een paar stappen naar voren.

'Niet te dichtbij,' fluisterde Lena, 'anders kunnen ze van bovenaf het zand zien.'

Opeens werd Lena van achteren aangetikt, het was Fons met Wesley en Dave. Ze hadden ijs meegebracht. Nelli en Lena pakten de ijsjes aan en stapten meteen een paar meter achteruit. Van die kleine Landmannetjes hadden ze niks te vrezen, maar van Fons wel, die was zo lang, die kon zo vanboven in hun bikini's kijken.

'Wat doen jullie raar!' zei Fons. 'Jullie hebben iets uitgevreten, wat is er?' Hij liep op Lena af. Ze stond stokstijf, wat moest ze doen? Rennen met die klodders? Rustig weglopen? Wat moest ze zeggen? Ze liep weer een stuk van hem vandaan, maar hij kwam bij haar staan. Lena keek naar Nelli, van háár moest de redding komen.

'Een wesp! Help!' gilde Nelli. Ze smeet haar ijsje in het zand en rende naar de zee. Lena aarzelde niet, gilde ook 'Help, een wesp' en gooide óók het ijsje op de grond. Ze holde Nelli achterna, onderweg hotsten de borsten tegen haar lijf. Ze doken de golven in en konden niet meer ophouden met lachen. Toen ze uitgezwommen waren en bij de kuil kwamen om zich af te drogen, zaten Fons en zijn vrienden te ginnegappen.

'Wat is er?' vroeg Nelli. 'Is het soms zo gek om bang te zijn voor een wesp? Dat heb ik nou eenmaal.'

'Nee, daar lachen we niet om,' zei Fons. Lena keek hem vragend aan, maar het antwoord kwam van Wesley Landman. Terwijl de jongens schaterend achterover rolden zei hij met een lage stem: 'Zandborsten.'

'Hé Wesley, waarom heb jij trouwens je zwembroek binnenstebuiten aan?' vroeg Nelli. En nu lachten ze alle vijf. Kijk, dat was Nelli weer, die redde zich overal uit.

Later gingen ze met z'n allen de zee in met nog een paar kinderen van school. Ze probeerden elkaar onder water te grijpen. En de jongens konden 'zandborsten' gillen wat ze wilden, het kon Lena niets meer schelen. Nelli al helemaal niet, die stopte zand achter in de zwembroek van Dave en gilde: 'Zandbillen.'

's Middags, toen Lena's vader allang geweest was, liepen ze het strand af met hun tassen over de schouders en hun slippers in de hand. Ze hadden rode ogen van de zee en natte verwaaide haren, stijf van het zout. Nog in het zachte zand haakten ze elkaar pootje en vielen lachend opzij. Daarna sjokten ze een voor een over de vlonders omhoog. Lena was de laatste, ze liep steeds langzamer. Sloffend, voetje voor voetje, om de heerlijke dag nog langer te laten duren. Ze zag de ruggen van haar vrienden en voelde tranen over haar wangen druppelen. Dit was dus afscheid: iets fijns dat nooit meer terug kon komen.

De wolken huilen

De wekker was gegaan, half zes, voor de laatste keer in dit huis. Lena keek door de spleetjes van haar ogen naar Fons. Die sprong zijn bed uit, deed zijn bril op en schoof de gordijnen open. De lucht was grauw en er kletterden dikke regendruppels tegen de ruiten.

'Opstaan, vandaag gaat het gebeuren!' riep Fons. Lena rekte zich uit. Ja, het was zover! Alles zat al ingepakt in de auto en de caravan, er waren alleen nog wat rugzakken en tassen in huis.

Het was alsof ze een nachtje in een hotel hadden geslapen. Een raar hotel, dat wel. Met witte lakens en gekleurde lappen over alle meubels tegen het stof, verzonnen door haar hoezenmoeder. En met een kale keuken zonder pannen op de plank. En met een huiskamer waar enorme planten op de vensterbank stonden, zodat je moeilijk naar binnen kon kijken en de dieven zouden denken dat het huis bewoond was. Het waren begonia's in de bloei en dat zouden ze blijven ook, want ze waren nep. Hier in dit vreemde hotel kreeg je geen ontbijt, de zak met brood zat al in je rugtas.

Lena en Fons kleedden zich aan. Beneden hoorden ze stemmen en de stofzuiger. Zouden er al mensen zijn om gedag te zeggen? Lena zuchtte, alweer afscheid! Ze moest denken aan het afscheid van de klas, nu bijna een week geleden. Dat was eigenlijk best meegevallen. Ze had de landkaart meegenomen en ze had het gedoe van eb en vloed uitgelegd. Daarna kreeg ze een afscheidsboek waarin alle kinderen iets hadden geschreven, met hun fotootje erbij. Van sommige verhalen had ze tranen in haar ogen gekregen, zoals van Manuel op wie ze stiekem verliefd was.

Lieve Lena,
Wat raar. Ik had gedacht dat je volgend jaar mee zou gaan naar de middelbare school, en dat we met z'n allen in dezelfde klas zouden zitten. Ik had gedacht dat ik altijd bij jullie in de bollenschuur kon keten. Ik had gedacht dat ik je zou kennen als je groter was. Ik had gedacht... Maar jammer, het is niet zo. Heel veel plezier in je leven.
Manuel

Zou hij ook? Daar kwam ze nu nooit meer achter.

Na het afscheidsboek hadden ze het door Nelli verklapte lied gezongen en met vlaggetjes gewapperd. Bij Fons werd niets speciaals gedaan, want in groep acht ging iederéén weg. Daar hingen ze huilend om elkaars nek, alleen maar omdat ze naar verschillende scholen gingen.

Lena deed de laatste spulletjes in haar rugzak. Nog één keer keek ze haar kamertje rond en fluisterde 'dag kamer' tegen de kale muren.

Beneden stond de voordeur open, haar vader liep te sjouwen met mams naaimachine en etenstassen. Mam liep zenuwachtig rond in haar zwartleren motorpak met de schuine rode strepen. Zíj zou op de motor gaan en papa zou de auto rijden met de caravan. Speciaal voor deze onderneming had papa de zijspan van de motor tevoorschijn gehaald. Die was al jaren niet meer gebruikt; vroeger hadden Fons en Lena daar ingezeten. Lena kon het zich nog wel herinneren: dat ze naar het buitenland gingen, en dat zij en Fons dagenlang opgepropt in dat zwarte zijwagentje zaten zonder met papa en mam te kunnen praten. Nee, dat was niet leuk geweest. Maar nu kwam hij goed van pas. Mam stond erop dat haar naaimachine erin ging. Die wilde ze het liefst bij zich houden.

Lena ging in de deuropening staan en keek naar de drijfnatte steentjes van de stoep. De regen roffelde op het dak van de caravan en de auto. De motor met de twee wijd uitstaande zijspiegels leek wel een glimmend zwart insect met glanzende ogen op stokjes. Daarnaast de zijspan, als een natte zwarte kever.

Er kwamen zinnen in haar hoofd. Dat gebeurde haar vaak, het waren zinnen die ze wilde onthouden en die ze 's avonds in bed opschreef in haar schrift.

Vandaag hoef ik niet te huilen.
Dat doen de wolken al.

'Ga eens opzij, schat!' Lena's vader drukte haar tegen de muur en rolde een bolle tas naar buiten. Zijn jack was drijfnat. Op de stoep draaide hij zich om.

'Hé, Lenaatje,' lachte hij, 'doe je ogen eens wat wijder open!'

'Die gaan pas om zeven uur open,' zei Lena duf. Ze bleef tegen de deurpost hangen en zag haar vader de caravan in gaan. Toen hij weer tevoorschijn kwam, had hij zijn capuchon diep over zijn ogen getrokken. Met een paar passen was hij weer binnen.

'Zo,' zei hij, 'de caravan is vol. Nu doe ik er écht niets meer bij, hij is al veel te zwaar geladen, en dan die fietsen nog op het dak! Als de politie ons controleert, zijn we de klos. Nou ja, we wagen het er maar op, 't is maar een klein stuk tot de boot, en in Engeland zal het zo'n vaart niet lopen.' Ze liepen samen naar de keuken waar Fons en mam thee stonden te drinken.

'Hier,' zei mam, 'drinken jullie maar gauw je beker leeg, dan kan ik alles nog even afwassen. Ik snap het niet, hoor. Waar blijft iedereen? Ma en Bing zouden nota bene vroeg komen! We moeten al bijna weg!'

'Nou, kijk dáár eens!' riep papa. Lena hoorde een enorm kabaal en zag een zee van paraplu's uit de voordeur van de buren komen.

'Ze hebben zich bij Pia verzameld. Die is goed!' zei papa lachend.

'Laat ze alsjeblieft niet binnen, anders kan ik hier wéér dweilen,' jammerde mam. Maar de mensen bleven buiten staan, ze droegen feestmutsen en bliezen op kartonnen toeters met fladderende sliertjes.

Lena zag oma en Bing, Nelli met haar hele familie, de Landmannetjes, inclusief vader en moeder, de buren uit de straat, de vriendinnen van mam, sommige met buggy's met plastic dekzeiltjes erover. Ze zag Hein van de pony's met een camera in zijn hand, en ze zag een paar meisjes van school, opgetrommeld door Nelli natuurlijk.

'Gaan júllie maar naar buiten,' zei mam. 'Ik kom zo, ik ruim hier het laatste op.' Lena en Fons deden in de gang hun jacks aan en hun rugzak om.

'Fons en Lena: lachen!' commandeerde papa. Hij gaf hun een duw de deur uit, de toeterende bende in.

'Hé Lena!' riepen haar vriendinnen. Ze vlogen op haar af, pakten haar handen vast, haar schouders, zoenden, propten cadeautjes en kleine papiertjes met mailadressen in haar rugzak.

'Stop! Jullie drukken me dood!' riep Lena vrolijk. 'Ik ga niet naar de Noordpool of zo!'

'Mailen hè, Lena!' zeiden ze in koor.

'Ja, ja,' antwoordde Lena. 'Maar dat duurt nog wel even, hoor, want onze laptop heeft daar niet een-twee-drie verbinding.'

'Maakt niet uit,' zei Nelli, 'we gaan toch eerst allemaal op vakantie.' Zij en haar zus Evi hadden natte ogen terwijl hun monden probeerden te glimlachen. Evi's vriendin Aisha stond in een zakdoekje te huilen. Die woonde hier nog maar kort en had ook haar eigen land moeten verlaten. Zij was vast de enige die wist hoe erg het was.

Lena's moeder was de deur uitgekomen en de vrouwen onder de paraplu's slaakten hoge kreetjes. 'Jill, Jill, goeie reis, Jill, kom hier, Jill, zoenen!'

Nu hoorden ze geronk van motoren. Daar had je de hele motorclub! Ze parkeerden langs het fietspad en kwamen aanlopen in hun glanzende leren pakken met hun helmen in de hand. Pia, de buurvrouw, gaf hun toeters en mutsen en nu was het één grote herrieboel.

Opeens riep Lena's vader: 'Jongens, het is zover, we gaan!' Het werd stil en iedereen keek hoe hij plechtig de voordeur op slot deed. Lena voelde de warme hand van Nelli. Mam klom op de motor en deed haar helm op. Papa duwde Fons en Lena in de richting van de auto. Oma stond bij de geopende portieren, met haar armen wijd, alsof ze Fons en Lena op het laatst nog wou afpakken. Ze knuffelden elkaar. Het lukte Lena om vrolijk te blijven net als oma, maar Fons had het moeilijk, die hing met huilogen over haar schouders.

'Kinderen, het ga jullie goed,' zei oma lief. 'En Bing, Bingetje moet ook gedag zeggen. Waar is hij nou, toch niet weer bij de buitenkraan?' Ja, daar zat hij. Ome Bing was altijd op zoek naar kraantjes om zijn handen te wassen.

'Laat hem maar,' zei Lena.

Fons wuifde nog een keer in het wilde weg, Lena gaf een laatste zoen en ze gingen samen op de achterbank zitten. Papa gooide de rugzakken op de voorbank en stapte ook in. Hij wachtte met starten tot mams motor de straat op reed.

'Dáág, dáág,' brulde iedereen. 'Doe je voorzichtig in die regen, Bram?' riep oma. 'Niet te hard rijden, hè!' Door het open raampje bleef Lena Nelli's hand vasthouden. Toen moest ze loslaten want de auto begon te bewegen. Nu bleef er niets over dan zwaaien. Zwaaien, tot er geen mens meer te zien of te horen was, tot alles achter hen lag. Nu kan ik alleen nog maar naar voren kijken, dacht Lena. Ze haalde haar hand naar binnen en draaide traag het raampje dicht.

Deense diepvriesproducten

'We zijn fantastisch op tijd!' zei Lena's vader opgewekt. 'We hebben een dik uur extra.' Hij zat tevreden achter het stuur. Z'n haar stond alle kanten uit omdat hij dat had afgedroogd met een oud T-shirt.

'Drogen jullie je ook maar af en leg die natte jassen voorin.' Hij smeet het T-shirt over zijn schouder naar achteren.

'Wacht mam bij de grote weg?' vroeg Fons.

'Nee, dat heb ik haar verboden. Veel te gevaarlijk om achter elkaar aan te rijden. Ik heb gezegd: "Neem maar een kop koffie in het restaurant tegenover de boot." Trouwens, ik kan hooguit zeventig rijden door dat gezeul met die caravan. En dan die regen!'

'Hé, bliksem!' zei Lena.

'Ook dát nog,' mopperde haar vader. 'Jemig, wat een buien, zeg! Ik zie geen donder. Kijk, dáárom zijn we nou extra vroeg vertrokken, het kan altijd tegenzitten.'

Ze waren nu op de snelweg, maar 'snel' was niet het goede woord, ze tuften met een sukkeldrafje op de rechterbaan. Telkens werden ze ingehaald door grote vrachtwagens die plenzen water opspatten. Om nog iets te kunnen zien liet papa de ruitenwissers heen en weer razen.

'Hebben *wíj* weer!' bromde hij. Zijn humeur was aan het afzakken, merkte Lena. Ze haalde haar computerspelletje tevoorschijn en begon te spelen, net als Fons. Af en toe keek ze naar de bliksem die in de verte naar beneden zigzagde.

Boing!!!

Door een enorme dreun, een krakende klap, werden ze alle drie als raketten naar voren geslingerd in hun veiligheidsgordels. De auto schoof naar voren als een slee in de sneeuw door een duw van achteren. Fons en Lena gilden van de schrik, hun vader vloekte! Hun auto had een knallende opdoffer gekregen, Lena voelde hem zwabberen en glijden. Toch kreeg haar vader hem weer op het rechte pad en daarna kon hij langzaam afremmen. Hij parkeerde op de vluchtstrook. Alles was gebeurd binnen een paar seconden en ineens was het doodstil, op het gezwoeg van de ruitenwissers na.

'Oooooo,' kermde papa met zijn hoofd op het stuur. Hij bleef zo liggen. Lena trilde van boven tot onder, ze kon niets meer stilhouden. Ze keek naar Fons, die was spierwit en zat ook te beven.

'We hebben een duwtje gehad,' probeerde Fons vrolijk. 'Nog een geluk dat de caravan erachter zat.'

'O, god, leven jullie nog?' Papa kwam met een ruk overeind.

'Kom op, eruit! Aan Lena's kant! Vlug, er kan brand komen!' Ze stommelden naar buiten, het regengordijn in. In de haast vergaten ze hun jassen.

'Meteen achter de vangrail gaan staan!' schreeuwde papa. Ze klommen over de glibberige vangrail en toen pas draaiden ze zich om. De auto had niet veel schade, zo te zien, maar aan de trekhaak hing alleen nog maar een knoedel van verwrongen stalen buizen, in elkaar gekraakt plastic en wielen in de lucht.

Papa keek ernaar, deed zijn handen voor zijn ogen en ging op zijn buik in het natte gras liggen. De regen striemde op zijn broek en zijn shirt. Fons kwam naar Lena toe en ging dicht tegen haar aan staan.

'Waar is de caravan?' vroeg Lena. Was dit een domme vraag? Hij was verdwenen, dat was zeker. Fons gaf geen antwoord. Hij wees naar een vrachtwagen die een eindje terug op de vluchtstrook stond.

'Die is er doorheen gereden,' zei Fons zacht.

'Maar waar zijn de muren van de caravan dan?' vroeg Lena. Fons hoefde weer geen antwoord te geven; zo ver ze konden zien lagen er witte brokstukken langs de weg. Het leken wel opgekrulde repen karton. Sommige waren zelfs over de vangrail geschoven en terechtgekomen in de sloot en in het weiland. In de verte zagen ze hun gekraakte spullen verspreid liggen, bijna niet meer te herkennen.

Er stopten auto's op de vluchtstrook. Een man begon met zijn arm te zwaaien om de auto's naar de andere baan te krijgen.

'Ze rijden over onze troep heen,' zei Fons. 'Kijk, dat was het aanrechtje, volgens mij.' Hij pakte haar hand en ze liepen als vanzelf in de richting van de vrachtwagen, langs slierten soldatentent, opengereten vuilniszakken en verfrommelde fietsen. Op de vangrail een natte roze sjaal van mam, alsof ze even langs was gekomen om een wasje op te hangen.

De chauffeur van de vrachtwagen stond te praten met een man die zijn auto aan de kant gezet had.

'Ik heb 112 gebeld,' zei de man opgewonden tegen Lena en Fons. 'Hij spreekt geen Nederlands, het is een Deen, kijk maar.'

Lena keek naar het opschrift op de vrachtwagen. *Danske Dybfrostpo-dukter* stond er met grote letters.

'Deense diepvriesproducten,' legde de man uit. De Deense chauffeur had een rood hoofd en keek naar de grond. De neus van zijn vrachtwagen was ingedeukt en de bumper was behangen met de gescheurde gordijntjes van de caravan.

'Hij heeft natuurlijk zitten slapen,' vervolgde de man. 'Altijd het-zelfde liedje: die lui zitten veel te lang achter het stuur. Reden jullie soms erg langzaam?'

'Ja,' antwoordde Fons. 'Maar dan hoeft hij nóg niet door ons heen te rijden.'

'Nee, natuurlijk niet,' zei de man. 'Waar zijn jullie ouders eigen-lijk?'

'Mijn vader ligt dáár. In de wei,' zei Fons. Ze draaiden allemaal hun hoofd om behalve de diepvrieschauffeur. Lena begon zich al-weer te schamen, haar vader lag nog steeds op zijn buik in de re-gen.

'O, hemel, is hij gewond?'

'Nee,' zei Fons.

'Zoekt hij iets?'

'Nee.'

'O, god, een shock!' riep de man. 'Hij is in shock!'

'Ja, het kan best een shock zijn,' zei Lena. Wat een shock was wist ze niet, maar het leek op een soort ongeluk en dan hoefde je je niet te schamen.

'Volgens mij niet, hoor,' zei Fons. 'Hij ziet het gewoon niet meer zitten, denk ik.'

Nu hoorden ze sirenes, er kwam een politieauto over de vlucht-strook aanscheuren. Verderop verschenen nog meer zwaailichten, daar werd het verkeer zeker gewaarschuwd. De politieauto stopte vlak voor de caravanknoedel. Twee agenten wipten over de vangrail en renden op Lena's vader af. Eentje draaide zich om en gebaarde dat ze moesten komen.

De man en de chauffeur gehoorzaamden als padvinders. Lena en Fons sjokten achter hen aan. In de verte was haar vader alweer gaan staan, zag Lena.

'Is er soms iemand die goed Engels spreekt?' vroeg de agent. 'Ik kan er geen chocola van maken.' De Deen was losgebarsten en had een heel verhaal in het Engels gehouden.

'Ja, mijn kinderen,' zei Lena's vader slapjes.

'Zíj?' vroeg de agent verbaasd. Fons kwam naar voren, er plakten natte slierten haar op zijn voorhoofd en hij had zijn druipende bril in zijn hand.

'Hij zegt dat hij op het laatst de caravan pas zag door de regen,' zei hij. 'En hij zegt dat onze auto zowat stilstond en dat de lichten van de caravan niet brandden.'

'Dat is gelogen!' riep papa uit. 'Ik heb ze thuis nog getest, alles doet het, kijk zelf maar.'

'Tja, meneer, er valt niet veel meer te controleren,' zei de agent vriendelijk. Hij keek even op naar de auto waar niets meer achter hing.

'En,' ging Fons verder, 'hij zegt dat jullie moeten opschieten, dat hij haast heeft want zijn spullen moeten bevroren blijven of zo.'

'Akkoord,' zei de agent. 'Zeg maar dat hij met zijn papieren naar onze wagen moet komen. Jouw vader en meneer de getuige ook, en jullie erbij om te helpen met het Engels. Sjongejonge, wat leren die kinderen een hoop, tegenwoordig.'

'En onze bezittingen?' vroeg papa.

'De opruimdienst komt zo,' zei de agent. 'U mag hier zelf niet aan de gang gaan. Wij verzamelen het en ik geef u zo dadelijk een adres, daar kunt u het over een paar dagen afhalen. U had trouwens heel wat bagage bij u, zo te zien.'

'Gaat wel,' zei papa.

'Beseft u wat een geluk u gehad heeft! Als u die caravan niet achter u aan had gehad, waren jullie morsdood geweest!'

Dat was waar, dacht Lena. Maar het was ook níét waar, want zonder die caravan hadden ze hier nooit gereden. Van oma mocht je nooit 'als' denken. Daar kwam je geen steek verder mee. Ze zei altijd: 'Als, als, als... als m'n tante wieltjes had gehad, dan was het een karretje geweest.'

Lena hoorde haar mobiel in haar broekzak, een sms.

Joepie ik ben er waar zitten jullie, xx mam.

Ze schrok, ze was heel haar moeder vergeten. Die zat te wachten in het restaurant aan de haven. Ineens drong het tot Lena door hoe koud en nat ze was. Ze begon te bibberen, het leek wel of ze met kleren en al onder een koude douche had gestaan. Ze trok aan haar vaders mouw.

'Het is mam,' zei ze. 'Waar we zijn.'

'O, ja, Jill. O god, waar we zijn! Wat een ellende! Je kunt het dorp zowat nog zien liggen.' Haar vader kreunde en liet even zijn hoofd hangen. Toen zei hij vastberaden: 'We moeten haar bellen, ik zeg gewoon: "Jill, we hebben geluk gehad én een ongeluk, we leven nog én we zijn alles kwijt. Lever de tickets maar in en ga weer naar huis."'

Hij hielp Lena over de vangrail. Hand in hand liepen ze achter de anderen aan naar de politieauto. Voordat ze instapten zei papa: 'Ja Lenaatje, we zijn geluksvogels!' Daarbij keek hij mismoedig naar de weg, waar het leek of een vuilniswagen zijn vieze vracht had verloren.

Duk de teckel

Ze zaten met zijn allen aan de grote ronde tafel van Pia, de buurvrouw. Het was laat in de middag en nog steeds waren ze hun eigen huis niet ingegaan. Pia kwebbelde zoete woorden en bleef bier schenken tegen het beven en bibberen. Lena en Fons zaten achter een pak ijsthee, niemand vroeg hun wat, ze luisterden stilletjes naar de grote mensen. Het verhaal van de diepvriesauto was nu ongeveer tien keer verteld.

Mam was samen met haar naaimachine het eerst thuisgekomen. Maar ze had in ieder geval de zee gezien én de boot én de meeuwen.

'Ik voelde me zo fantastisch toen ik daar op die kade stond,' zei ze. 'Ineens wist ik het zeker: ik ben een eilandbewoner! Op een eiland, dáár moet mijn leven zijn. Niemand die míj daar nog vanaf brengt! Ik ga er volgas tegenaan! Nou, en toen kwam dat telefoontje van Bram.'

'Schenk haar nog eens bij, Pia,' zei papa.

Wat Lena van de hele conversatie begreep, was dat ze behoorlijk in de nesten zaten. Ze waren alles kwijt. Een nieuwe caravan kopen was te duur en een huis huren op het eiland ging niet, want ze moesten ook al een boot kopen. Bovendien was papa's gereedschap naar de haaien, dat moest eerst aangeschaft worden. Gelukkig was het ongeluk de schuld van de Deense diepvriesman, dus ze zouden wel geld krijgen van zijn verzekering. Maar zoiets kon lang duren en je kreeg maar een schijntje vergoed.

'Weet je wat júllie moeten doen?' zei Pia. Lena zag haar vader en moeder hulpeloos opkijken alsof ze zelf niks meer konden verzinnen.

'Jullie moeten eerst een paar dagen bijkomen van de schrik. Gewoon niks doen, thuis een beetje theedrinken en tv-kijken. Daarna laat je de auto repareren en ga je aan de slag met die verzekeringspapieren. Je moet ook de winkels nog af om nieuwe spullen te kopen, dan ben je zo een paar weken verder. En je zult zien: ineens komt de oplossing vanzelf.'

'Ja,' zuchtte Lena's vader. 'Ik denk dat je gelijk hebt.'

'Kom op, jongens,' zei Pia opgewekt, 'nou niet meer zitten simmen. Wie gaat er even patat halen? Jullie moeten wat eten.'

'Jeetje, patat halen! Dat durf ik niet, hoor,' zei mam. 'Stel dat ik een kennis tegenkom!'

'Ja,' zei papa, 'met zó veel bombarie afscheid nemen en dan 's avonds weer bij de frietboer staan. Dat trek ik niet.'

'Ze kunnen toch ook je auto zien staan voor ons huis?' zei Fons voorzichtig.

'O, jemig, ik ga meteen alles in de garage zetten!' Papa vloog op.

'Ach, de mensen komen het toch wel te weten, hoor,' zei Pia.

'Maar nu nog even niet, a.u.b.!' riep papa. 'Voorlopig duiken we onder.'

Grote mensen schaamden zich dus ook, dacht Lena tevreden. Gelukkig.

'En oma?' vroeg ze. 'We zouden oma toch bellen als we op het eiland waren?'

'Ook dat nog,' zei papa. 'Nou ja, die kan haar mond wel houden. Ik doe het straks wel, eerst die auto en die motor naar binnen.'

Pia had patat gehaald en verdeelde die over de borden. De stemming werd er meteen een stuk beter op.

'Zijn je jongens er niet?' vroeg mam.

'Nee, die zijn dit weekend bij hun vader.'

'En Koert, komt die niet eten?' Koert was de nieuwe vriend van Pia, wist Lena. Hij woonde in het dorp, maar hij was bijna altijd bij Pia.

'Koert is op vakantie. Die is aan het duiken. Die ligt nu onder een palmboom op een eilandje in de Indische Oceaan.'

'Op een eilandje?' Mams ogen begonnen te glimmen. 'Maar waarom ben jij niet meegegaan?'

'O, schei uit, we hebben ruzie gehad. Over de teckel.'

'Over de teckel?'

'Ja, Dukkie heeft in Koert z'n neus gebeten en nu wil Koert niet meer bij me komen wonen. Dat wil zeggen, hij wíl het wel, maar dan moet Duk eruit. Nou, en dat kan ik niet over m'n hart verkrijgen. Moeilijk, hoor.'

Zie je wel, dacht Lena, zij was niet de enige die moest kiezen.

'Hij denkt dat ik van gedachten verander als hij weg is,' ging Pia verder.

'En?' vroeg mam.

'Ach, ik weet het niet meer. Dat arme beest kan er toch ook niks aan doen? Maar ik mis Koert wel, hoor. Hij belt elke avond op en dan zegt hij expres hoe fijn het daar is. Een eigen huisje op het strand, in het restaurant 's avonds kokosnoten eten, je weet wel.'

Mam glunderde. Vanwege dat eiland natuurlijk weer.

'Ruzie om een teckel,' zei papa minachtend.

'Zeg jij maar niks, Bram,' zei mam. En toen waren ze klaar met eten en werd het tijd om hun huis binnen te sluipen, als dieven in de nacht.

De eerste dagen had niemand in de gaten dat ze weer terug waren. Maar toen moest mam naar de supermarkt en was het dorp definitief op de hoogte. Gelukkig hoefde Lena haar vriendinnen niet onder ogen te komen; de meeste waren nu op vakantie. Fons en zij bleven maar wat in huis hangen, ook al omdat het elke dag regende en ze geen fietsen meer hadden. Ze waren begonnen met monopolie, een competitie van 's morgens vroeg tot 's avonds laat. Ze speelden het op de grond in de voorkamer zodat het bord met de kaartjes en het geld dagenlang kon blijven liggen.

De kamer voelde trouwens vreemd aan, niet meer zoals vroeger. Het was donkerder door de nepbegonia's voor de ramen en over de meeste meubels lagen nog witte lakens. Mam had ze expres niet weggehaald omdat ze toch per se wilde vertrekken deze zomervakantie. 'Ik geef het niet op! Ik ga volgas! Waar een wil is, is een weg' en al dat soort dingen zei ze steeds.

Sinds ze wat spullen terug hadden, zat ze dag en nacht achter de naaimachine om hun verwoeste kleren op te kalefateren. En papa zat naast haar aan tafel met stapels formulieren, of hij zat boven achter de computer om te zoeken naar tweedehands gereedschap. Een laptop hadden ze niet meer, die was in mootjes teruggekomen in een plastic zak.

Af en toe kwam oma langs met ome Bing. 'Ma, haal niet in je hoofd dat we blijven, hoor!' zei mam telkens. 'We zijn hier maar even om de problemen op te lossen en dan gaan we.'

'Het zijn me nogal een problemen,' mopperde oma dan.

'Wij hebben een vraag,' zei Pia.

Ze was met Koert binnengekomen, en nu zaten ze met Lena's ouders aan tafel koffie te drinken. Lena en Fons lagen op de grond te monopoliën, maar omdat Pia zo luid en geheimzinnig sprak legde Lena de dobbelstenen opzij en keek op. Koert stak poepbruin boven de anderen uit, maar toch hield hij verlegen zijn hoofd gebogen. Het zou wel over Duk gaan, dacht Lena. Of zij Dukkie wilden hebben zodat Koert bij Pia kon wonen of zo.

'Zeg het maar,' zei papa.

'Eh, we dachten... Ik had jullie toch verteld van Duk? Kijk, ik bedoel, Koert heeft de pest aan Dukkie...'

'Nou, de pést,' mompelde Koert alsof het wel meeviel.

'Ja, de pest,' zei Pia, 'en nou dachten we, als jullie weg zijn staat het huis een tijd leeg tot jullie het gaan verkopen. En eigenlijk zou het súper zijn als Koert het kon huren. Dan snijdt het mes aan twee kanten: júllie krijgen geld van de huur, en wíj wonen praktisch samen. Dichter bij elkaar kunnen we tóch niet wonen zolang Duk er is.' Het bruine gezicht van Koert kleurde een beetje rood, zag Lena.

'Nou, wat vinden jullie?' Heel even was het stil. Toen begonnen mam en papa te stralen.

'Maar dat is te gek!' riep papa. En mam juichte: 'Wat een goed idee! Voor dat geld kunnen wij weer een caravan huren!' Ze begonnen druk door elkaar heen te praten.

'Ja,' zei Koert opeens met zijn basstem, 'en dan is er nóg wat. Als jullie het huis op een gegeven moment kwijt willen, wil ik het graag kopen!' Weer viel het stil. Koert zat erbij als een koning.

'Meen je dat?' vroeg papa. 'Maar dat zou grandioos zijn! Als we zeker weten dat we daar blijven, hoeven we je maar te bellen en...'

'Precies!' zei Koert.

'Daar drinken we op,' zei mam. 'Bram, haal de glazen! Kinderen, kom erbij zitten!'

De champagne spoot uit de fles en de tongen kwamen los. Koert begon te vertellen van zijn vakantie. Hij had gesnorkeld en gedoken en gezwommen en geluierd. Én gegeten natuurlijk.

'Méér heb je niet te wensen op een vakantie!' zei hij voldaan. 'En wat ook een pluspunt was, ik hoefde geen vreemde taal te spreken, want het waren Nederlanders die daar de tent runden. Die hadden alles zelf gebouwd – voor een habbekrats, want alles is daar spotgoedkoop. Houten hutten op het strand voor de gasten, een huisje voor zichzelf en een restaurant. Méér heb je niet nodig, het mooie weer doet de rest! Zou trouwens ook wat voor jullie zijn, je koopt daar een eiland voor een appel en een ei en je trekt het hele jaar toeristen. Beter dan dat regenoord in de Noordzee waar alleen 's zomers mensen willen komen!'

Hij vertelde verder over de vliegreis en de boottocht. Papa vroeg hoe de hutten eruitzagen. Mam vroeg wat hij te eten had gekregen en wie dat kookten, die Nederlanders zélf soms? En Fons vroeg of je daar goed kon vissen.

Aan het eind van de avond, toen Pia en Koert als helden waren vertrokken, gingen ze met z'n allen naar boven. Fons en Lena gingen naar bed, maar hun ouders kropen achter de computer...

De volgende morgen kwamen papa en mam pas heel laat beneden. Lena lag op de bank televisie te kijken. Fons had ze nog niet gezien, die was vroeg gaan vissen. Haar ouders zagen scheel van de slaap en hadden rode ogen. Het bleek dat ze de hele nacht hadden gezocht op internet naar 'eiland te koop'.

Mam was vergeten haar haar te kammen, ze had een wilde krullenkop waardoor ze extra opgewonden leek. Ze nam een hap brood en vertrok meteen weer met haar koffie naar de computer. Papa kwam bij Lena op de bank zitten. Hij legde uit waar mam en hij mee bezig waren. Het waren nieuwe plannen.

Lena hoorde het aan, ze was niet eens verrast.

Koert had haar ouders gisteravond helemaal gek gemaakt van de Indische Oceaan. En nu wilden zij hun huis aan Koert verkopen en voor dat geld een eilandje kopen in een heerlijk warm land. India om precies te zijn, want mam wilde naar een land waar ze ook Engels konden spreken, en India was vroeger een Engelse kolonie geweest.

Papa zou eenvoudige hutten timmeren voor de gasten, en een restaurant. De gasten zouden heerlijk in zee kunnen zwemmen of met bootjes opgehaald kunnen worden om te duiken of te vissen.

'Het grote voordeel is,' zei papa, 'dat we geen auto en caravan meer nodig hebben en dat het leven daar zowat niks kost. Ik kan voor heel weinig geld werklui aanstellen en gereedschappen kopen. Bovendien is het daar het hele jaar mooi weer, dus trek je veel gemakkelijker toeristen. Denk je eens in, Lena, elke dag in het restaurant eten! Frietjes en ijs! En altijd zon. En een site op internet waardoor er Nederlandse kinderen komen die met je kunnen spelen.'

Hij drukte Lena tegen zich aan. Lena voelde zich blij worden, dit klonk een stuk beter dan de boodschappendienst. Ze merkte dat ze zich erop begon te verheugen. Zon, een restaurant, zwemmen, spelen met kinderen langs het strand!

'Het enige is,' vervolgde papa, 'als we dit willen, moeten we als de bliksem aan de gang! Nú kunnen we ons huis in een ommezientje verkopen aan Koert, we kunnen eigenlijk zó weg. Maar wat als Dukkie ineens dood gaat? Dan kan Koert gewoon bij Pia gaan wonen, dan heeft hij ons huis niet meer nodig. En tegenwoordig raak je een huis niet zo gemakkelijk kwijt, dat kan soms wel een jaar duren. Nee, we moeten razendsnel handelen!'

Lena knikte, ze begreep het. Er moest niets met Duk gebeuren, want dan was de kans verkeken.

'Als die Dukkie er toch niet geweest was!' zei papa. 'Die teckel is ons lot, maar een lot is een kans, en die kans moeten we nu grijpen!'

Daar had je hém weer, dacht Lena. Het was trouwens Dukkie niet, het waren die Deense diepvriesproducten. Als die niet hadden bestaan, woonde ze nu in Engeland.

Mister Palatty

De speedboot scheurde door de blauwe zee. De voorpunt kwam telkens met een klap op de golven en het water spatte hoog over de boeg. Mister Palatty zat aan het roer, hij was de enige die een beetje droog bleef. Mam en papa zaten in het midden en Fons en Lena voorin. Lena's gezicht droop en haar jurk was drijfnat. Maar ze lachten allemaal. Het was ook zó heerlijk!

Lena keek even naar achteren. Ze zag haar ouders gillen van plezier, mam met haar zwarte zonnebril op en een Indiase sjaal om haar hoofd, papa met precies zo'n bril en een witte pet. In de verte de haven die steeds kleiner werd. De huizen waren nu huisjes geworden en de palmbomen palmboompjes.

Links van hen doemde een prachtig wit strand op uit de helderblauwe zee, daarachter groene bossen. Maar daar gingen ze niet naartoe, ze bleven erlangs varen, hun eigen kleine eilandje tegemoet...

Door de wind raakte Lena's sjaal los. Ze trok hem van haar hoofd Nu was het nóg heerlijker met dat wapperende haar en die druppels op haar wangen. Ze deed haar ogen dicht om ervan te genieten.

Dadelijk zouden ze bij hun eiland aankomen. Het was maar klein. Logisch, zo rijk waren mam en papa niet, maar er lag een enorm stuk bos op. Dat was het grote voordeel ervan; hierdoor hoefde papa geen hout te kopen dat nodig was om de hutten voor de gasten te timmeren. Hij kon kappen wat hij wou, had mister Palatty gezegd.

Mister Palatty had niet alleen de koop van het eilandje geregeld, maar had ook beloofd met alles te helpen. En hij had zijn belofte gehouden, ze waren nu al een week met hem samen.

Pas een week, gek, het leek Lena wel een eeuwigheid. Dat kwam omdat ze in die korte tijd zo veel nieuwe dingen had gezien. Het was begonnen toen ze in India geland waren en moesten wachten op het volgende vliegtuig. Ze hadden toen zes uur rondgeneusd in de miljoenenstad.

Papa had gezegd: 'Bij elkaar blijven! Tas voor je buik houden! Jill, jij houdt Fons vast, ik neem Lena,' en zo waren ze buiten in een mensenmassa terechtgekomen. Daar begonnen mannen aan hun mouwen te trekken. Die wilden dat ze een taxi namen. 'Doorlopen,' had papa steeds maar gezegd. 'De hoek om, de hoek om!'

Ze waren gaan rondzwalken, langs straten zonder stoepen, over hobbelig zand. Het rook er heel anders dan thuis, er hing een flauwe geur van benzine of verbrand rubber, wel een beetje muf.

Op de weg reden beschilderde vrachtwagens met zulke hoge balen, dat je dacht dat ze om zouden vallen. En er reden bussen met grappige kriebeltekeningen erop, dat waren letters. Die bussen leken óók wel te gaan omvallen, want er zaten veel te veel mensen in, die puilden er gewoon uit. En bijna iedereen was aan het toeteren, heel vreemd. Misschien om elkaar opzij te krijgen, ze reden hier links, maar ook een beetje kriskras.

Verder krioelde het er van de brommers en de fietsen. De meesten met een bende bagage achterop, de pakketten stulpten uit naar de zijkanten en staken hoog boven de hoofden van de fietsers uit. Lena had aan papa gevraagd waarom iedereen met zo veel spullen sjouwde, maar papa wist het niet.

In een kleinere straat hadden ze witte koeien zien lopen. De auto's reden er keurig omheen, want die koeien mogen alles wat ze maar willen in India.

Veel mensen zaten zomaar in het zand om wat te kletsen met elkaar, of om op de bus te wachten. De vrouwen zagen er prachtig uit in gekleurde jurken en zwierige sjaals, de mannen droegen soms lange hemden over hun broeken. Het leek of de mensen alles in de openlucht deden, misschien was het binnen wel te warm. Je zag knippende kappers op straat, tandartsen die tanden trokken en zelfs een ijzeren bed op de weg waarin iemand sliep. Het ergste dat Lena in de stad had gezien, was een hele hoge berg aardappels met kinderen ernaast die moesten schillen.

Mam was natuurlijk een winkeltje binnengelopen met rollen stof tot aan het plafond. Daar moesten ze eerst met de hele familie op de grond gaan zitten en theedrinken. Pas daarna begonnen twee mannen supersloom de rollen van de stapel te halen. Papa had steeds nijdig op zijn horloge gekeken. Uiteindelijk had mam maar gauw wat uitgekozen, en moesten ze zich nog haasten naar het vliegveld.

Ze waren doorgevlogen naar een groot eiland en daar had mister Palatty in de aankomsthal gestaan. Hij had hen naar een hotel in de stad gebracht waar ze een kleine week moesten blijven om inkopen te doen.

Ze hadden heel veel nodig, mister Palatty had alvast een lijst gemaakt: gereedschap, schoppen, vishengels, bijlen, hakmessen, emmers, zaklantaarns, lampen, zagen, benzine, rollen touw, spijkers, schroeven, en – heel belangrijk – een generator. Dat was een groot apparaat waar benzine in ging en waar elektriciteit uit kwam, zodat mam haar naaimachine kon gebruiken en papa zijn elektrische boor, om maar wat te noemen. En ook hadden ze luchtbedden nodig en zakken rijst, meel, olie, zout, lucifers, medicijnen en allerlei smeerseltjes tegen beten van beestjes die ze nog niet kenden.

Maar de allerbelangrijkste aanschaf was een boot. Van mister Palatty moesten ze zelfs twéé boten kopen, maar mam en papa vonden één boot voorlopig wel genoeg.

'Ik kan u alleen maar zeggen dat ik dat heel onverstandig vind,' had mister Palatty ernstig gezegd. 'Stel dat de boot kapot is, of stel dat meneer weg is met de boot en een kind krijgt een ongeluk op het eiland! Je kunt niet even bellen of iemand je komt ophalen.'

'Niet bellen?' had mam uitgeroepen.

'Nee, niet bellen, logisch,' had mister Palatty geantwoord, 'daar is toch zeker geen bereik!'

'Nou ja, via internet dan,' had mam gezegd, maar toen kreeg ze te horen dat je daar ook niet kon internetten. Dat moest je doen in een soort cafeetje in het havenplaatsje, op een halfuur varen.

'Maar wij hebben internet nodig om gasten te boeken!' had mam gegild. 'Dat heeft u van tevoren helemaal niet gezegd!' Lena dacht dat haar moeder ter plekke zou neerstorten.

'Nee, natuurlijk niet.' Mister Palatty bleef kalm. 'Wat denkt u? Dat hier in die uitgestrekte zeeën zendmasten staan?'

'Jill, wat is er, wat is er toch?' had papa gezegd. 'Gaat het nog steeds over die boten?' Papa was de enige die het Engels niet goed kon verstaan. Lena had het uitgelegd. Het was een tegenvaller, maar hij zei: 'Als dát geen avontuur is, hè Jilletje?' En daar lachte mam alweer.

Het werden dus twee boten, ze moesten wel. 'Een rib uit ons lijf!' had mam uitgeroepen. En papa: 'Bij problemen niet piepen!'

Een speedboot en een grotere, langzaam tuffende puntboot moesten ze hebben. Drie dagen lang hadden ze ernaar gezocht. Mister Palatty had hen elke ochtend in het hotel opgehaald om met een taxi de havens langs te gaan. De laatste keer zei hij: 'Ik heb nog één belangrijke tip voor u.'

'En dat is?' vroeg mam bezorgd. Ze was zeker bang dat het weer geld ging kosten.

'Dat is dat uw kinderen ook moeten kunnen varen. Met allebei de boten. Begrijpt u?'

Ja, Lena snapte het onderhand wel. Er kon een boom op papa en mam vallen, dan moesten zij en Fons hulp kunnen halen. Ze had het eilandje nog niet gezien, maar ze begon er al behoorlijk verstand van te krijgen.

Mevrouw Roosje

Toen alles geregeld was, waren ze samen met mister Palatty naar een klein havenplaatsje gevlogen. Dat was mister Palatty's dorp. Mab-en-nog-wat noemden ze het maar voor het gemak. Het was een tochtje van niks, maar je moest wel vliegen omdat er geen goede wegen waren. Op het vliegveldje in Mabennogwat werden al hun spullen in een kar geladen die achter mister Palatty's auto werd gehaakt.

Mevrouw Palatty en haar kinderen hadden hen opgewacht voor het huis. Ze zagen er prachtig uit in felgekleurde gewaden, misschien hadden ze zich wel mooi gemaakt voor deze gelegenheid. Mevrouw Palatty had heerlijk eten gekookt, alleen was Lena doodmoe geworden van het lief lachen en knikken, want ze verstonden elkaar niet en mister Palatty had geen zin om te vertalen.

'S Avonds werden ze naar een vrouw gebracht, bij wie ze konden logeren tot hun nieuwe boot klaar was. Die mevrouw sprak gelukkig Engels, ze was de schooljuf van het dorp. Ze had een leuk houten huis op korte paaltjes, met aan de voorkant een veranda met een dakje erboven. In dat huis waren maar twee kamers. Een was de huiskamer waar ze kookte en waar ook haar bed stond, en de andere was de slaapkamer van haar zoon. Die zoon zat in de stad op school en kwam maar af en toe thuis.

De mevrouw kweekte rozen, die groeiden in de tuin rondom het huis en in potten op de veranda. Ze maakte er een soort olie van, en het leek wel of niet alleen haar lijf en haar haren ermee ingesmeerd waren, maar ook de meubels. Overal rook het naar rozen, zelfs in de kamer van haar zoon, waar nu hun matrassen op de grond lagen.

Twee nachten hadden ze bij die rozenmevrouw geslapen. Ze was heel lief, mevrouw Roosje. Overdag liet ze hun het dorp zien. Er waren veel kraampjes waar je thee kon drinken, ze sloegen er geen één over en overal moesten ze handen schudden. In de smalle straatjes hadden de mensen banken van klei tegen hun huizen aangebouwd. Die banken waren vol gekliederd met krijttekeningen. Volgens mevrouw Roosje deden ze dat tegen de insecten en tegen boze geesten. Je mocht er gewoon op zitten en dat hadden ze gedaan. En maar handjes geven en lachen!

Mam en Lena waren intussen ook naar rozen gaan ruiken. Ze hadden ieder een felgekleurde lange broek gekocht met wijde pijpen. En van dezelfde stof een lange jurk die je over die broek droeg en een sjaal tegen de zon.

'Dat zit toch veel lekkerder dan die strakke broeken van jullie?' had mevrouw Roosje gezegd. Inderdaad, het zat heerlijk luchtig en nu vielen ze tenminste niet zo op. Nou ja, dat was niet helemaal waar; de meeuwenvleugels van mam hadden een hoop bekijks. Die staken volop uit haar zwierige rode jurk, en daardoor leek ze heel erg op een papegaai die er vandoor wilde gaan.

De mensen op het dorp waren aardig, maar het bleef bij handen schudden, glimlachen en gauw doorlopen, want ze konden elkaar niet verstaan.

En zo was het ook op de school van mevrouw Roosje gegaan. Lena had daar een paar meisjes van haar leeftijd een hand gegeven. Die hadden mooie donkere ogen en lange zwarte haren, en droegen dezelfde jurk als Lena. Eentje liep op blote voeten, de anderen op slappe slippers. De meisjes bleven maar naar haar staren, wat konden ze zeggen? Het leek net of je achter een grote glazen ruit stond, waardoor je nooit bij elkaar kon komen. Dat van die ruit had ze 's avonds in haar schrift geschreven.

Ze had zich veel te wit, veel te blond en veel te lang gevoeld en ze was blij dat ze pakketten van de Wereldschool bij zich had, zodat ze niet naar dat schooltje hoefde.

Mevrouw Roosje wist alles van de dorpsbewoners. Ze vertelde ook over de Engelsman die eerst op hun eilandje had gewoond. Die had net als papa hutten voor toeristen willen bouwen. Maar toen hij zijn eigen huis af had, was hij plotseling vertrokken. Niemand wist waarom. Hij had al zijn spullen zomaar laten liggen, niets meegenomen, heel vreemd. Dat was nu bijna twee jaar geleden. En hij had mister Palatty gevraagd om het eilandje voor hem te verkopen.

Vanmorgen vroeg was eindelijk hun nieuwe lange boot gearriveerd. Hij was tweedehands en het hout had afgebladderde verf, rood en blauw. Bijna over de hele lengte zat een afdakje tegen de zon. Aan de zijkant stonden vreemde letters die 'schelp' betekenden, volgens mevrouw Roosje.

Ze hadden de boot meteen volgeladen en twee vrienden van mister Palatty waren er alvast mee weggevaren, die zouden nu al wel op het eilandje zijn.

Toen het tijd was om in mister Palatty's speedboot te stappen, had mevrouw Roosje Lena stevig vastgepakt alsof ze elkaar nooit meer zouden zien. En Lena had bijna moeten huilen, zó vertrouwd was het geworden in die paar dagen.

'Als je aan wal komt, moet je altijd even bij me komen, hoor!' had mevrouw Roosje gezegd en ze had een klont suiker in Lena's mond geduwd en in die van Fons ook.

En nu waren ze op zee, geen volle zee, maar een binnenzee met rondom groene eilanden.

'Kijk,' riep mister Palatty boven het geloei van de motor uit, 'zie je dat strand? Daar lopen vaak olifanten, die gaan zich wassen in zee. Als je hierlangs vaart moet je altijd even kijken. Zo bijzonder!'

'Zitten die ook op óns eiland, nee toch?' vroeg mam.

'Nee, natuurlijk niet, maar jullie hebben wel apen. Dat komt omdat er zoet water op jullie eilandje is.'

'O, mm.' Mam zag er bezorgd uit.

'Wat zegt-ie, wat zegt-ie?' vroeg papa.

'Dat er apen zijn omdat er zoet water op ons eiland is.'

'Die moet je streng aanpakken, hoor!' ging mister Palatty vrolijk verder. 'Anders nemen ze de huishouding over, ha, ha!'

'Wat nou weer?' vroeg papa.

'Dat we streng moeten zijn voor de apen,' zei mam.

'Geen probleem,' zei papa.

'Zijn ze groot of klein?' vroeg Fons.

'Middelgroot,' zei mister Palatty. Hij minderde vaart, de motor maakte nu niet meer zo veel lawaai.

'Kijk, daar is jullie eiland! Je kunt het nu zien. Dáár. Jullie boot ligt er al.'

Lena zag de lange boot een eindje voor het strand liggen.

'Ik herken het niet van de foto,' zei papa. 'Er was toch een steiger die een stuk in zee liep? Jill, zeg dat eens even tegen hem!'

'Doe niet zo ongeduldig, Bram. Misschien ligt hij aan de andere kant of zo.'

'Vraag het nou maar.'

'Mijn man wil weten waar de steiger is van de foto,' zei mam.

'Ach ja, jammer,' zei mister Palatty. 'Dat is waar ook, die is intussen verloren gegaan.'

'Verloren gegaan?'

'Je moet weten, de mensen hier stoken op hout en...' Lena kreeg een duwtje van Fons. Ze zag een grijns op zijn gezicht. Ze boog zich naar hem toe om hem goed te kunnen verstaan.

'Was het huis ook niet van hout?' fluisterde hij.

Het eiland

Een flink stuk van het strand gooide mister Palatty het anker uit.

'Stap maar uit,' zei hij. Met hun slippers in de hand waadden ze door de ondiepe lauwe zee naar het strand, gewoon met hun lange broeken nog aan. Het was een behoorlijk eind, een steiger was inderdaad handig geweest. Lena zag vissen wegschieten in het heldere water.

'Ik zorg wel voor het eten!' lachte Fons. 'Die vissen vang ik met gemak. Mam, kun jij ze dan roosteren?'

'We moeten eerst weten welke lekker zijn. Mister Palatty, weet u dat niet?'

'Ach, probeer maar wat. Je moet trouwens 's nachts vissen of 's morgens heel vroeg, en dan vanuit je boot. Weet je wat je hier ook vindt? Eetbare schelpen. Die graaf je zo op uit het zand. Dat is een leuk werkje voor jullie, jongens!'

'Hoe weten we welke eetbaar zijn?' vroeg mam.

'Ach, probeer maar wat,' zei mister Palatty voor de tweede keer, hij vond het zeker gezeur.

'Wat zegt-ie, wat zegt-ie?' vroeg papa.

'Dat er onder het zand schelpen liggen die we kunnen eten,' zei mam.

'Hoe weet je dan welke?'

'Ach, we proberen wel wat, Bram.'

Ze waren bij het strand aangekomen waar de vrienden van mister Palatty met de kisten aan het sjouwen waren. En nu zagen ze in de verte onder de bomen voor het eerst een glimp van hun nieuwe huis op palen.

Even voelde Lena een teleurstelling, ze had het zich heel anders voorgesteld. Door al die verhalen over het haventje, het restaurant en de gastenverblijven, was ze een beetje gaan denken dat alles er al stond.

Maar mam gaf hoge gilletjes van blijdschap. Daar was hun huis! Iets hoger dan het strand, op een schaduwplek van aangestampte donkere aarde, omringd door hoge palmen en andere reusachtige bomen met grillige dikke stammen.

Ze renden met z'n allen de trap op en bleven op de veranda staan om uit te kijken over zee. Vooraan was het water prachtig blauwgroen, in de verte werd de kleur steeds dieper blauw zodat de lucht erboven wel paars leek. Ze werden er stil van, zo mooi was het.

Papa stak plechtig de sleutel in het slot.

'Nou jongens, dit is het moment,' lachte hij. 'Jilletje, Fons, Lena, kom, ik til jullie over de drempel, dat brengt geluk!'

'Hè jakkes!' zei Fons, 'poep.'

'En nesten,' zei Lena.

'Het is maar van vogels,' suste mister Palatty.

'Nou, dit lijkt anders wel van een mens,' zei papa.

'Welnee,' zei mister Palatty, 'dat is gewoon een apendrol.'

'Een apendrol?' Mam bukte zich om hem te bestuderen.

'Ja, Jill, apen moeten ook,' zei papa geleerd.

'Het komt zo,' zei mister Palatty, 'het huis heeft lang opengestaan want er is hier enorm geroofd. Ik heb nog maar net die deur met dat slot erin gezet. En de boel een beetje schoongemaakt.'

'Schoongemaakt, ahum,' mompelde mam.

Mister Palatty zwaaide de luiken open. Er zat geen glas in de ramen, alleen gaas. Nu konden ze de kamer pas goed zien. Die was best ruim en had bruine houten muren bedekt met spinnenwebben en takjes die naar binnen waren gegroeid. Er stonden geen meubels in, alleen aan de zijkant een lang aanrecht.

'Je moet het zó zien,' zei mister Palatty opgewekt, 'het huis is om te slapen en om je spullen in op te bergen, want je leeft buiten. Behalve in de regentijd natuurlijk. Kijk, deze deur gaat naar de andere kamers.' Ze liepen achter hem aan een halletje in.

'Dit zijn dan de twee slaapkamers waar ik het over had,' zei hij. 'Niet schrikken, ik heb daar de overgebleven rotzooi van die Engelsman naartoe gedreven.'

'Het zijn leuke kamers op zich,' zei mam vriendelijk.

'Dat is dan de eerste klus voor vandaag,' zei papa vrolijk. 'Alles eruit, en wat we niet kunnen gebruiken: verbranden op het strand!'

'Jaaa!' riep Fons.

'Nou, dat lijkt me niet zo slim.' Mister Palatty schudde minachtend zijn hoofd. Hij wees naar een fornuis in het mulle zand een eindje van het huis af.

'Daar staat jullie houtvreter.'

'Wat bedoelt u?' vroeg mam beleefd.

'Nou, dat is uw houtfornuis. Ik zou al het hout er maar naast leggen als u tenminste een kopje thee wilt zetten.'

'Als we ú toch niet hadden!' zei mam. 'En waar is nou die waterbron?'

'Loop maar mee,' zei mister Palatty. Ze liepen om het huis heen en daarachter was een put. Je kon het water ophalen in een emmer aan een lange ketting; die had mister Palatty bij zich. Papa en mam vonden het juist leuk dat er geen kranen waren. Ze zouden zelfs reclame gaan maken met die waterbronnen, want ze wilden gasten krijgen die het zat waren om in comfortabele hotels tien hoog te zitten. Mam had al een website in haar hoofd: *Onbewoond eiland, terug naar de natuur.*

'Ik vrees dat dit de wc is,' fluisterde mam. Ze liepen naar een half ingestort hok en keken naar binnen. Lena zag een betonnen vloer met een gat erin.

'Het toilet,' zei mister Palatty alsof hij een luxe badkamer in een bungalow aanprees. 'Dat hok lap je in een middagje op. Kijk, de klink van de deur hebben ze laten liggen, gelukkig.'

'Geen probleem!' zei papa vrolijk.

Ze liepen weer terug naar het strand. Het witte zand eindigde aan beide zijden in een soort warboel van bomen met grillige wortels boven de grond, bedekt met poep en nesten van waadvogels, rommelig wel.

'Dat zijn mangroves,' legde mister Palatty uit. 'Het eiland is voor het grootste deel bedekt met mangroves. Die bomen houden van zout water en die hebben hun wortels voornamelijk bóven de grond. Je kunt er praktisch niet doorheen komen.'

'Geen probleem,' zei papa.

'Maar dat betekent dat we een heel stuk van ons eiland niet kunnen gebruiken!' riep mam uit.

'Juist,' zei mister Palatty. 'Maar het is fantastisch brandhout, dat wel.'

Het was even stil. Fons keek beteuterd naar de mangroves. Lena was ook teleurgesteld, het eiland werd met het uur kleiner. Mister Palatty had niets in de gaten, hij ging vrolijk verder.

'Alleen moet je langs het water niet gaan kappen, want dan spoelt je strand weg. Die wortels houden namelijk het zand mooi vast.'

'En dat andere strand van de foto?' vroeg mam met een dun stemmetje. 'Hoe moeten we dáár dan komen?' Het leek wel of ze mister Palatty niet meer zo vertrouwde.

'Dat is geen punt, je kunt binnendoor naar het volgende strand. Gewoon achter het huis de heuvel op en langs de palmen blijven lopen. Of je neemt de boot. Ik weet zeker dat jullie gauw gaan varen om jullie eigen strandjes te bekijken.'

'O, heerlijk!' Mam kikkerde een klein beetje op.

'Wat zegt-ie, wat zegt-ie?' begon papa weer.

'Zeg, zien jullie daar die kust waar we net langs gevaren zijn?' Mister Palatty trok nu een ernstig gezicht. 'Daar moet je nooit aan land gaan, dat is zelfs verboden. Daar leven namelijk de oorspronkelijke bewoners van deze eilanden. Het zijn stammen die duizenden jaren geleden hier zijn neergestreken, helemaal vanuit Afrika. Die worden nu beschermd door de overheid. Als ze met ons in aanraking komen, kunnen ze ziektes krijgen. Bovendien gaan er verhalen dat ze met pijl en boog schieten op mensen die hun gebied binnendringen.'

'Allemachtig!' zei mam. 'Bram, ik vertel het je straks.'

'Ik heb interessante platenboeken over die mensen,' zei mister Palatty. 'Ik zal ze jullie wel eens lenen.'

Maar nu was er werk aan de winkel. Mister Palatty deelde de lakens uit: zijn twee vrienden moesten alle spullen onder aan de veranda zetten, en mam, papa, Fons en Lena moesten het huis leegruimen en schoonmaken. Toen de boot leeg was gingen de twee mannen met papa de zee op om hem te leren varen. Ze waren zo terug want papa kon het meteen. Door zijn motors thuis – die tot zijn verdriet allemaal verkocht waren – wist hij alles af van motoren.

Ondertussen zorgde mister Palatty voor de dingen die het eerst nodig waren. Hij viste de emmer met de ketting uit de bagage zodat ze water konden halen. Hij klapte een kampeertafel uit, gaf bezems aan en dweilen, pannen, lucifers, benzine, en kreeg het houtfornuis en de generator aan de praat.

Als het even kon gaf mam hem een pluim: 'Zonder u waren we nergens, mister Palatty.'

Nee, zonder mister Palatty waren ze nergens, maar aan het eind van de middag ging hij toch naar huis. Hij wilde bij daglicht terugvaren.

'Het wordt hier niet langzaam donker zoals bij jullie,' legde hij uit. 'Schemer kennen wij niet. Rond zes uur wordt het in één klap donker. Daar moet je je goed op voorbereiden.'

Hij hing vier olielampen aan de veranda en zette er een groot blik naast. Op dat blik stond *cookies* en daar zaten aanstekers, kaarsen en lucifers in om droog te blijven.

'Droog, droog?' vroeg papa met een gloeiende kop van de hitte. 'Ik kan me niet voorstellen dat het hier ooit nat wordt!'

'Gelukkig wel,' lachte mister Palatty. 'En nu ga ik. Alles is oké, jullie hebben licht, bedden, eten en drinken. Er kan je niets meer gebeuren. Of het moet zijn: een kokosnoot op je kop als je onder deze palm gaat liggen.'

'O, nee toch!' riep mam. 'Kan dat ook al niet? Waar moeten we dán in de schaduw zitten? Tussen die mangroves soms?'

'Het was maar een grapje. Ga maar heerlijk onder die palm zitten, er zal nooit een kokosnoot op je vallen. Wij zeggen hier: de kokosnoot heeft ogen. Bekijk hem maar eens goed, hij heeft er drie. Hij kijkt uit zijn doppen, zogezegd.'

Mister Palatty draaide zich om en liep lachend zijn vrienden achterna de zee in.

Als hun tweede boot klaar was, zou hij terugkomen. Hij zou dan een timmerman meenemen die papa kwam helpen. Waarschijnlijk morgen al, maar het kon ook een dagje later zijn.

Zwarte krabben

De boot van mister Palatty maakte snel vaart en liet een spoor van wit schuim achter. Met z'n vieren keken ze hem na. In de verte kon je het groene schiereiland met Mabennogwat zien liggen. Iets dichterbij was de lange kust, ook groen en met de witte stranden waar soms olifanten liepen, maar waar je niet mocht komen.

'En nu wil ik zwemmen!' riep Lena.

'Jaaa!' zeiden de anderen. Ze gooiden hun kleren uit en sprongen in hun nakie de zee in.

'Moet je meemaken, dit zwembad is helemaal van ons!' riep mam. Ze rende spetterend vooruit naar het diepere stuk. Daar draaide ze zich om en riep: 'Kijk nou toch eens! Ons eigen eiland en ons huis onder de palmbomen, ónze palmbomen!'

Lena liet zich drijven. Dat ging gemakkelijk in het zoute water. Ze keek omhoog naar de blauwe lucht waar geen wolk te bekennen was. En ze keek opzij naar de uitwaaierende palmbladeren in de toppen van de bomen. Er vloog een prachtige vogel over met een rode snavel en blauwe vleugels met witte punten.

Ze draaide zich weer op haar buik en hield haar hoofd onder water. Daar was een mistig sprookjesland met zwemmende citroenen en zwemmende zebraatjes. Morgen zou ze haar duikbril en snorkel tevoorschijn halen, dan kon ze alles beter bekijken. Weet je wat, ze zou een verzameling gaan aanleggen. Eerst de vissen bestuderen en later met kleurpotlood tekenen in een schetsboek. Fons wilde vast meedoen. Ze voelde zich kalm en gelukkig.

Toen het bijna zes uur was, droogden ze zich af bij het huis en gingen met z'n allen op de veranda zitten om te wachten op het donker. Mam zette bekers op tafel en schonk koude thee in.

'Het komt eraan!' zei Fons. Lena zag het ook, de schaduwen verdwenen, het witte strand werd grauw, de zee somber. Papa maakte gauw het *cookies*-blik open. Hij vulde de olielampen en stak ze aan. Mam rende nog even naar de put om een emmer water te halen. Toen ze weer op haar stoel zat, kon je al bijna niets meer zien.

Lena vond het gezellig zo, met zijn vieren bij het zachte lamplicht. Er was niets te doen, geen boek, geen computer, geen spelletje, ze záten alleen maar. Haar moeder had de armen over elkaar en zag er tevreden uit. Haar vader neuriede zachtjes. Fons zat nadenkend met zijn ellebogen op tafel, zijn kin steunde op zijn handen en zijn ogen glansden achter zijn bril. En stil was het, zo stil.

Voor hun neus begon een zwarte vogel aan een serie duikvluchten alsof het een demonstratie was. Toen kwam er nog een, en nog een en nog een. Een hele groep, ze doken af en aan. Lena begon het eng te vinden, het leek wel een aanval.

'Vleermuizen!' zei papa.

'Jaag ze weg,' zei Lena. Haar vader zwaaide met de walmende

olielamp, maar het haalde niets uit. De vleermuizen waren massaal hun holen uitgekomen en waren niet van plan hun vliegrondjes op te geven. Ze begonnen ook nog eens op hoge toon te kwetteren en te tsjilpen.

'We moeten er maar aan wennen,' zei papa. 'Er zal nog wel meer komen waar je aan moet wennen.'

'Ja,' zei mam, 'zoals aan de muggen, ik word lek gestoken.'

'Ik ook,' zei Fons. 'Ze komen op dat licht af.' Lena keek naar de lamp waar motten en wittige nachtvlinders tegenaan vlogen.

'Kom, we gaan naar binnen.' Papa schoof zijn stoel naar achteren en ging met de olielamp het huis in. De mottenzwerm vloog mee.

Omdat de huiskamer propvol met kisten en dozen stond, liepen ze door naar het slaapkamertje. Daar lagen hun vier matrassen naast elkaar en konden ze zitten. Lena was blij dat ze nog niet apart hoefde te slapen, want een beetje griezelig vond ze het wel. De lamp met de muggen en motten lieten ze in de kamer op het aanrecht staan.

'Wat moeten we hier nou doen in het donker?' vroeg Fons.

'Ik heb nog geen slaap,' zei Lena. Nee, logisch, het was net half zeven.

'Wanneer gaan we eten?' vroeg Fons.

'Zeuren jullie nou eens niet!' zei mam. 'Je ziet toch dat alles ingepakt zit. Moet ik soms dat fornuis buiten gaan stoken in het pikkedonker?'

'Dus we krijgen hier nooit meer te eten 's avonds,' zei Fons lomp.

'Jongens, hou eens even op, ja?' bulderde papa. 'We mogen blij zijn dat we hier met al onze spullen op het eiland zitten en dat we een gedekt bedje hebben. Verder moeten we alles nog uitvissen, dat is juist het avontuur! Ik zei toch: uitvissen, wennen en aanpassen. Dat is wat we hier gaan doen! Buiten koken met die muggen lukt niet, oké, daar vinden we wel wat op. En voor nu zijn er koeken en bananen, hè Jill?'

'Ja,' zei mam. Lena kon haar gezicht niet zien.

'En wat te drinken?' durfde Fons nog te vragen.

'Water,' zei mam en ze stond op om alles te halen. Ze aten zwijgend van smakeloze koeken die kruimelden op hun slaapzakken. En toen, om zeven uur, gingen ze maar liggen zonder zich te verkleden. De deur van het kamertje stevig dicht want mam kon de muskietennetten niet vinden. Door het gaas van het open raam kwam een slap windje en een klein beetje sterrenlicht. En zachte geluiden van vreemde vogels.

Lena lag lekker tussen haar vader en moeder in, ze viel snel in slaap. Maar midden in de nacht werd ze zwetend wakker van de hitte, ze moest ook plassen. Ze stootte mam aan die haar de zaklantaarn gaf.

'Nee, je moet mee,' zei Lena. Voor geen goud ging ze in haar eentje naar de plasemmer in de huiskamer, waar de motten misschien nog rondvlogen. Mam liep met haar mee en net toen Lena klaar was en mam met de zaklantaarn op de grond scheen, zagen ze het: enge beesten! Ze gaven allebei een gil. Het waren zwarte kreeftachtige zeedieren die schuin opzij over de vloer scharrelden. Mam en Lena sprongen op de dozen en spartelden met hun benen.

'Krabben!' fluisterde mam alsof de beesten het niet mochten horen.

'Ik durf niet meer terug,' zei Lena.

'Wat moeten die krabben hier?' Mam bescheen ze en het leek of er steeds meer kwamen. 'Bram! Kom eens! Word eens wakker!' Papa kwam er aan gesloft.

'Wat is er, wat is er?'

'O, Bram, kijk, krabben. Zwarte krabben, Bram!'

‘Gedver.’ Papa schoot het gangetje weer in.

‘Hou die deur dicht,’ kermde mam. ‘Straks lopen ze nog over onze matrassen!’

Papa kwam weer binnen met een plank en maaide de krabben aan de kant.

‘Kom vlug,’ zei hij. Lena wipte van de doos en schoot het halletje in. Mam kwam haar achterna en sloot de deur. Ze bescheen de vloer van het halletje. Zo te zien waren de krabben hier nog niet gearriveerd. Wel zat er een ander vreemd beestje in een hoek, een bang beestje met een staart.

‘Ach, dat is niks,’ zei papa. ‘Dat is heel normaal in deze landen, ze doen niets.’ Maar Lena geloofde hem niet. Het was een minikrokodilletje, klaar om ergens in te bijten. Misschien wel in haar neus als ze lag te slapen. Nu bescheen mam de vloer van de slaapkamer. Ze zagen alleen een paar torren, een soort lieveheersbeestjes zonder stippen.

‘Die doen ook niks,’ zei papa. ‘Die rommelen alleen maar wat.’

‘Ik snap het niet, hoor,’ zei mam, ‘ik heb deze hele kamer pico bello gepoetst en nou alweer torren! Hoe komt dat schorremorrie binnen?’

‘Morgen zal ik de gaten in het huis nakijken,’ zei papa. ‘Laten we nou maar gaan slapen.’

Nu pas werd Fons wakker.

‘Wat is er?’ vroeg hij.

‘Niks,’ zei mam. ‘We moesten plassen.’

Lena kroop diep in haar slaapzak en zorgde ervoor dat haar neus onder het dek bleef.

Na een poosje werd ze gewekt door vreemde geluiden. Ze sloeg de slaapzak van zich af, het was niet uit te houden van de hitte. Dan maar torren aan haar tenen. Nu ze goed wakker was, hoorde ze scherper. Het waren hoge krassende en kraaiende geluiden als van heksen die in de verte aan het smoezen en lachen waren. Zouden het mensen zijn? Lena voelde haar hart in haar keel kloppen. Opeens werd er aan de buitendeur gemorreld, ze wist het zeker! Ze draaide zich om naar haar vader en gaf een klapje op zijn wang.

'Wat nou weer?' fluisterde hij.

'Ik hoor wat engs!' Lena's stem bibberde. Haar vader ging rechtop zitten en luisterde. Er klonk zacht gestommel op de veranda, er leek iets om te vallen. Toen was het weer een tijdje stil.

'Misschien hebben we het ons maar verbeeld,' fluisterde papa. 'Misschien hebben we de tropenkolder, dat kun je hier krijgen. Als je niet gewend bent aan het hete vochtige klimaat en de eenzaamheid met al z'n vreemde geluidjes, kun je een beetje in de war raken.'

Lena geloofde hem alweer niet. Altijd had haar vader zijn woordje klaar, nooit was er iets aan de hand volgens hem. Plotseling hoorden ze allebei voetstappen buiten, en door het gaas van het raam zagen ze in het flauwe maanlicht een schaduw voorbijgaan. Niks tropenkolder, het was allemaal echt! Het ergste van alles was dat papa zijn tong verloren had en niet eens naar het raam durfde om te gaan kijken.

'Misschien zijn het die mensen die hout willen pikken,' zei Lena zacht.

'Ach, natuurlijk niet,' zei papa zogenaamd rustig. 'Kom maar tegen me aan liggen. Ik ga er niet opaf, hoor, je kunt hier niemand om hulp vragen. De deur zit op slot, dat is het belangrijkste. We zien het straks wel, om vijf uur wordt het licht.'

Lena ging met haar hoofd in het holletje van papa's arm liggen. En terwijl het krokodilletje en de krabben in huis rondkropen en het zachte gerommel buiten doorging, viel ze toch nog in slaap.

Apen

Om vijf uur scheen de zon de slaapkamer in en konden ze niet meer slapen. Mam opende voorzichtig de deur van de huiskamer: de zwarte krabben waren spoorloos verdwenen. Lena en Fons liepen achter haar aan het muffe, benauwde huis uit.

Op de veranda was het heerlijk fris. Ze keken naar het strand en de zachtblauwe zee waarin de groene eilanden lagen, als puddingen in een sausje. En ze keken opzij, naar het mangrovebos en de kokospalmen. Maar plotseling zagen ze dat ze niet alleen waren! Vanuit het bos zaten wel een stuk of dertig apen naar hen te loeren. Ze zaten doodstil op hun gatjes met hun achterpoten opgetrokken, sommige zaten aan een appel te knabbelen. Ze hadden grijsgroene en bruinige vachten en donkere snuiten en ze hielden hun grote bruine ogen op de veranda gericht.

'Apen!' gilde Fons.

'O, leuk,' zei Lena. 'Ze kijken naar ons.'

'Ze eten appels,' zei mam. 'Misschien hebben we een stel appelbomen, dat zou fijn zijn.'

'Ik denk niet dat ze van een appelboom komen,' merkte Fons fijntjes op. Hij wees naar de grond, Lena zag het ook. De bagage die ze gisteren nog buiten hadden laten staan lag schots en scheef. Dozen waren opengereten, en rondom lagen gescheurde plastic zakken, aangevreten aardappels, bananenschillen, rijst en een wit spoor van meel.

'O, onze voorraden!' jammerde mam. 'Stom, stom, hadden we nou alles maar binnengezet!' Omdat mam zo begon te krijsen, begonnen de apen ook. Bovendien kwamen ze in beweging, één aap liep naar voren, toen nog één en nog één. Daarna, alsof ze toen pas durfden, volgde de hele groep. Ze begonnen te krijsen en aan de kisten te krabbelen.

'Hé, donder op!' riep mam, maar ze bleef op de veranda staan. 'Haal papa!'

Lena riep haar vader en die stormde meteen op de apen af. Hij probeerde een doos van een aap af te pakken, maar die was brutaal en bleef aan de andere kant trekken, hij gebruikte er zelfs zijn bek bij. Een gemeen bekkie, vond Lena. Het gebit leek op dat van een vals mannetje. De doos scheurde open, er warrelden papieren uit.

'Nee hè! De paperassen van de Wereldschool!' Mam stormde als een dolle stier de trap af en stortte zich op de aap. Die liet los en de hele groep ging een pasje achteruit. Mam raapte de frommelige blaadjes van de grond, losgeraakt uit de lespakketten.

'Mister Palatty heeft gezegd dat we die apen flink moeten aanpakken,' zei papa. Hij nam een plank en gaf mam er ook een. Fons en Lena kregen ieder een bezem.

'En nu eropaf!' gilde papa. Met zijn vieren zwiepten ze naar de apen, terwijl ze apengeluiden maakten zonder dat ze het wisten.

Het hielp nog ook, de apen trokken zich terug onder de bomen.

'Je ziet het, kort houden die hap,' zei papa tevreden.

'Als ze daar maar niet gaan poepen,' zei mam, 'want onder die palmen wou ik net ons zitje maken.'

'Dan jagen we ze nog een eind verder,' zei papa. 'Je ziet dat het kan.'

De hele morgen waren ze bezig om uit te pakken en op te ruimen. Lena en Fons werkten keihard mee. Lena vond het leuk, het leek net of ze op dit eiland ook een groot mens was. Ze telde mee, dat voelde fijn.

Samen met haar moeder maakte ze van de grote huiskamer een soort keuken. Lena richtte de kast in met borden en pannen. De ijskast werd neergezet, die zou later aangesloten worden op de generator. Dat had niet zo'n haast, had mam uitgelegd, want ze hadden expres geen eten gekocht dat kon bederven. Dus geen vlees, Fons moest maar gauw vissen gaan vangen.

Mam deed het eten in grote vierkante blikken en stapelde ze op in een hoek. Van het meel was niet veel meer over, er lag een zielig beetje onder in een zak. En dat meel was juist zo belangrijk, want daarvan moesten elke dag pannenkoeken gemaakt worden met olie, ei en water. Dat was in plaats van brood, want naar de bakker gaan was er niet meer bij. Er kon ook melk van kokosnoten doorheen, had mister Palatty gezegd. Hij zou iemand laten komen die met blote voeten de hoge palm in kon kikkeren, en bovenin de kokosnoten kon afhakken met een kapmes.

Omdat het bloedheet was in de keuken, gingen ze telkens even zwemmen. Lena hield haar natte bikini gewoon aan als ze weer doorwerkten. Steeds als ze het water ingingen kwamen papa en Fons ook.

'We hebben een probleem,' zei papa terwijl ze in de warme zee dreven.

'En dat is?' vroeg mam vrolijk.

'Ik had gedacht dat we veel spullen onder het afdak kwijt konden, maar nou zitten we met die apen.'

'Dus je moet het dichtmaken?'

'Ja, maar dat is zonde van het afdak. Ik denk dat ik achter tegen het huis even een schuur timmer, we hebben planken zat. Als Fons meehelpt krijg ik dat wel af vandaag.'

'Lijkt me een prima idee!' zei mam. Ze slenterden het water weer uit. Lena zag op het strand afgekloven zwarte krabben liggen. Fons had al ontdekt dat de apen die vraten. Zijn idee was dat de krabben 's nachts het huis in vluchtten uit angst voor de apen. Maar misschien was het juist andersom. Dat de apen rond het huis zwierven om de krabben te pakken te krijgen.

Papa zou later een beter en groter huis gaan bouwen, met minder gaten erin. Maar eerst zou hij boven, onder de bomen, een restaurant maken en daarna op het tweede strand een paar hutten voor de gasten. Als dat klaar was, konden ze alvast beginnen met mensen te ontvangen, want dat betekende geld in het laatje. En dat was hard nodig nu ze die dure boot erbij hadden moeten kopen.

Pas op het laatst zou hun eigen grotere huis aan de beurt zijn. Tot zolang moesten ze het met de twee kleine slaapkamertjes en de kieren en de spleten doen.

Aan het eind van de ochtend zagen ze twee schepen aankomen.

'Onze nieuwe speedboot!' riep papa. Ze renden het strand op. De boten gingen voor anker en mister Palatty en een andere man kwamen door het water aansloffen, hun slippers in de hand.

'Dit is Loki,' zei mister Palatty, 'jullie timmerman. Hij komt nu maar voor eventjes, maar in het vervolg zal hij om zes uur beginnen.'

Ze gaven de timmerman een hand. Hij had grote handen, maar

toch was hij kleiner dan Fons. Of hij Engels sprak, vroeg mam. Nee dus. Je moest maar met je gezicht, je handen en je voeten praten. Volgens papa was dat natuurlijk weer geen probleem. Als ze elkaar niet begrepen zou hij Loki een briefje meegeven en dan kon Loki in Mabennogwat om uitleg vragen.

De hele middag gingen ze oefenen met de speedboot. Om de beurt mochten ze met mister Palatty de zee op. Lena was de laatste. In het begin leek het eng, maar mister Palatty was een geduldige leraar. Eerst het kraantje van de benzine open, de gashendel op start, dan aan het touwtje trekken en als de motor loeide de hendel een tandje verder zetten in z'n vooruit. Als je wilde stoppen, langzaam varen en op het laatst in z'n achteruit. Dan naar voren lopen en het anker uit gooien. Of, als je bij een steiger aankwam, een touw met een lus over een paal mikken.

Deze boot was veel makkelijker dan de lange boot, vond Lena. Alleen moest je echt iets op je hoofd doen, want er zat geen dakje op tegen de zon.

Mister Palatty en Loki vertrokken weer. Loki had papa geholpen met het schuurtje achter het huis en nu stond er niets meer buiten, behalve het kookfornuis en de tafel en de stoelen. Jammer voor de apen.

Lena en Fons mochten mam helpen het vuur aanmaken en mam kookte bruinebonensoep. Na het eten gingen ze alle vier op matjes onder de kokospalm liggen. Ze zeiden niet veel, ze waren moe en verbrand als rode kreeften. Mam gaf de zonnebrandcrème door.

'Eén ding heb ik wel geleerd vandaag,' zei ze, 'je moet hier niet in je bikini gaan lopen. Moet je es kijken hoe rood we zijn! Morgen doen we T-shirts aan en onze Indiase broeken, Lena.'

Lena knikte. Haar neus, haar schouders en zelfs haar knieën deden zeer van de zon. Ze was jaloers op Fons en papa, die koele kortgeknipte koppen hadden met petten erop. Mam en zij hadden het snikheet gehad met hun dikke krullenbossen. Pas aan het eind van de dag had mam de elastieken gevonden en hadden ze staarten kunnen maken.

Ze bleven nog een tijdje liggen tot de vleermuizen en de muggen kwamen. Toen maakten ze zich klaar voor het slapen. Deze keer deden ze de deur naar de keuken goed dicht en de plasemmer bleef in het halletje staan. Het kleine krokodilletje liet zich vandaag niet zien, de torren bij de matrassen lieten ze maar lopen. Lena vond alles best, ze was al gewend geraakt aan vreemde beesten, en ze kon ook niet meer nadenken, zo moe was ze.

Trouwens, deze reis had ze nog helemáál niet na kunnen denken. Ze was van het ene avontuur in het andere gerold. Nog geen seconde had ze aan haar dorp gedacht, aan haar viendinnen, aan oma of aan Nelli. Het ging zoals in elke zomervakantie: je werd meegesleept door alle nieuwe dingen en je dacht niet aan thuis.

Heimwee

Het was zes uur in de morgen. Lena en Fons hadden hun koude pannenkoeken op en gingen vooraan in de ondiepe zee liggen om zich niet te hoeven wassen. Douchen was hier namelijk geen lolletje. Papa had bij de waterput een douche gemaakt van een grote plastic zak met gaatjes waarin je een emmer water goot. 's Middags ging het wel, maar 's morgens was het water ijskoud en stond je daar in je blootje met die apen om je heen.

Vandaag was het precies vijf weken geleden dat ze uit Nederland waren vertrokken. En precies vandáág wilde Lena weer naar huis.

Net als aan het einde van een gewone zomervakantie, begon ze aan school te denken. Zo ging het altijd, dan kreeg ze ineens zin om nieuwe pennen en een nieuwe agenda te kopen. Of in het nieuwe lokaal te zitten met een nieuwe juf of meester. En dan verheugde ze zich op de lege schriften en nam ze zich voor om er heel netjes in te blijven schrijven. En kreeg ze zin in keten met Nelli en tennissen en giechelen in de pauzes.

En nu, hier in het zachte zand onder water, begon ze ook opeens naar oma te verlangen. Of eigenlijk meer naar de middagen bij oma. Ze deed haar ogen half dicht en zag zichzelf met Nelli enveloppen knippen, ze zag oma binnenkomen met de thee en ze zag zich verstoppertje spelen in de bollenschuur. Ze kon nu ook de tulpen op het veld zien, met daarachter de grijze wolken boven de duinen. En het strand! Het strand zag ze ook met de hele club van school op de badlakens. Nee, ze moest niet verder denken, want dit alles kwam nooit meer terug, nooit meer!

Je moest vóóruitkijken, zei mam, niet achteruit. Van achteruit kijken kreeg je heimwee. Maar wat kreeg je dan van vooruitkijken?

Als Lena vooruitdacht, stond hier een gezellig restaurant, waar mensen en kinderen in- en uitliepen. Elke morgen bestelde ze broodjes met jam en kaas op het terras. En 's avonds friet en kroketten. Er lag een lange steiger in zee met boten aan weerskanten. Aan het eind van die steiger kwamen de kinderen bij elkaar om te duiken en om elkaar in het water te duwen. Die kinderen waren jaloers op haar, want zíj hoefde niet terug naar het koude Nederland. Ze leenden Lena spannende boeken en vertelden haar hun geheimen.

En elke zomer kwam Nelli wel een maand lang. Dan huurde haar familie een hut op het tweede strand en Nelli en Lena maakten tochtjes met de speedboot en beleefden avonturen. Ja, mam had wel gelijk, als je het zó bekeek, dan ging het wel weer.

Maar toch was het moeilijk, vooral als je op het eiland alleen nog maar die gammele hut zag staan. Je moest héél veel geduld hebben als je vooruitkeek, dat was duidelijk.

Zou Fons ook al naar huis verlangen? Mocht je dat denken, huis? Want nu was híer toch hun huis? Ze keek even naar haar broer, zijn mond zag er tevreden uit, zijn ogen ook. Zelfs zijn wiebelende tenen die boven water uitstaken leken vrolijk te zijn. Zou ze het aan hem vragen? Nee, ze deed het niet, ze wilde stoer blijven.

Misschien moest je niet vooruit én niet achteruit kijken, want geduld had ze niet en heimwee wilde ze ook niet. Misschien moest je alleen naar het 'nu' kijken. Dat was iets om te onthouden voor in haar schrift.

Maar wat was 'nu' eigenlijk? 'Nu' was: dat krakkemikkige huis waar 's nachts vreemde beesten over de vloer kropen en waar je 's morgens zwetend wakker werd met muggenbulten. En je verbrande nek, en de jeuk en de wondjes op je benen van de zandvliegen. En de pannenkoeken en de bonenprut die je neus uit kwamen. En dat er niemand was om mee te lachen. Geen vriendinnen in de buurt. En dat je broer je begon te vervelen, net als het zwemmen en varen en snorkelen in zee, en alles...

Ze voelde buikpijn opkomen. Nee, zo ging het niet goed, ze moest flink zijn, ze moest het anders bekijken. Ze deed haar ogen dicht en zuchtte diep.

'Nu', dacht ze, is hier liggen in de blauwe zee, en denken wat je dadelijk gaat doen.

'Wat zullen we dadelijk gaan doen?' vroeg ze tenslotte.

'Snorkelen?' vroeg Fons.

'Goed,' antwoordde Lena. 'Ik wil die blauwige vis weer zien. Die ben ik aan het tekenen maar ik weet niet welke kleur zijn buik heeft.'

'Die heb ik allang,' zei Fons. 'Die is oranje van onderen en bovenop heeft hij rode sprieten.'

'Ja, die sprieten had ik al,' zei Lena.

Ze hesen zich uit zee en liepen het strand op om de snorkels en duikbrillen van hun kamer te halen. Nou ja, kamer, kamer, het was meer een houten hok met twee matrassen en twee kisten. En nog een soort boekenkast waar hun kleren, spelletjes en spullen op de planken lagen. Sinds een week sliepen ze daar. Tussen de torren en de staartenbeestjes, maar lekker onder hun muskietennetten. Voor de zwarte krabben waren ze allang niet meer bang. Fons en zij deden er zelfs wedstrijden mee: klaar af, wie z'n krab het eerst bij de deur was.

'Ha, jullie beginnen met huiswerk,' zei mam in de keuken. 'Mooi, want vanmiddag gaan we naar Mabennogwat om te mailen.'

'Nee, we gaan snorkelen,' zei Fons.

'Pech,' zei mam, 'er wordt eerst geleerd! Als jullie nu drie uur werken, zijn jullie om tien uur klaar. Dan heb je nog tijd zat om te snorkelen, want ik wou om twaalf uur zo'n beetje vertrekken.'

Lena keek naar haar moeders ogen. Nee, zeuren had nu geen zin. Helemaal niet nu papa naast haar zat met een grafgezicht. Ze waren zeker iets aan het bespreken wat niet leuk was. Fons had het ook gezien en ze liepen snel door naar hun kamer.

In de keuken hing een vieze benzinegeur. Dat kwam omdat papa zijn benen insmeerde met een soort petroleum. Dat had hij van Loki geleerd, zo konden de zandvliegen je niet steken. Hij stonk een uur in de wind, want Loki had hem ook nog aangeraden om zijn bovenlijf met uien in te smeren tegen de teken.

Sinds papa en Loki de grond aan het vrijmaken waren voor het restaurant, ging het trouwens niet zo best met papa. Hij zag er mager en moe uit, zijn benen zaten onder de jeukende en zwerende wondjes door de steken van de zandvliegen. En wat nog veel erger was, hij had zó zwaar moeten hakken en graven in het mangrovebos, dat hij een ontsteking aan zijn arm had gekregen. Die arm hing nu slap in een vastgeknoopte theedoek en met zijn andere hand hield hij een koffiebeker vast. Lena en Fons probeerden vlug met hun schooltassen naar buiten te lopen, maar papa begon te praten.

'Mam en ik hebben net een heel gesprek gehad,' zei hij.

'Fijn,' zei Fons brutaal.

'We hebben besloten dat het zo niet door kan gaan. We zullen nóg iemand in dienst moeten nemen. Ik kan niks meer, die ene hand van mij kan hooguit nog een tak aanpakken. En Loki krijgt het werk niet in zijn eentje gedaan. Bovendien moet er een graafmachine komen, dat is nou wel duidelijk.'

'O,' zei Fons, 'maar waarom kijk je dan zo sacherijnig?'

'Nou, dat snap je toch wel?' zei mam vinnig.

'Nee.'

'Wat denk je? Dat het geld op onze rug groeit?' zei mam. 'Die man moet toch betaald worden! Papa is bang dat we geld tekortkomen om onze plannen uit te voeren.'

'Je had toch van tevoren uitgerekend wat alles kostte?' zei Fons.

Ja, dat kon Lena zich ook nog herinneren; haar ouders die aan tafel in hun oude huis sommetjes maakten en later tevreden zwaaiden met de papieren.

'Dat is zo,' zuchtte mam, 'maar hoe konden wij nou ruiken dat we een tweede boot moesten kopen en nu ook al een tweede man en een graafmachine? Papa was er vanuit gegaan dat hij het meeste zelf kon doen.'

Lena keek naar haar vader die er een beetje zielig bij zat.

'Die arm zal toch wel gauw beter zijn?' zei ze.

'Ik weet niet, het zware werk kan ik voorlopig wel vergeten. Afijn, misschien lukt het later met timmeren.'

'Ik kan toch ook helpen met timmeren?' zei Fons.

'Jij moet je schoolwerk doen!' zei papa, en dat was het moment voor Fons en Lena om weg te komen uit de stinkende keuken.

Ze spreidden hun mappen van de Wereldschool uit op de tafel onder de palm. Er was inderdaad nog geen een keer een kokosnoot op hen gevallen. Misschien had mister Palatty gelijk en hadden die noten ogen.

Eigenlijk vond Lena het best leuk om de opdrachten voor school te maken. Ze had een heel pakket voor groep acht gekregen. Daar hoorde zó veel bij dat ze een kist vol had. Allemaal leerboeken, leesboeken, werkbladen, pennen, stiften, kopieerbladen, cd-roms om te toetsen, een atlas, een rekenmachientje, en zelfs lijm, plakband, paperclips en wollen draden om te knutselen, want dat moest ook gebeuren. Voor de ouders was er een handleiding waarin stond wat er allemaal geleerd moest worden. En ook antwoordenboeken, zodat zij konden controleren of je het goed gedaan had. Je moest twintig uur per week werken om over te kunnen gaan naar een volgende klas, maar mam keek gelukkig niet zo nauw.

Als je een hele hoop af had, moest je het doormailen naar de Wereldschool en dan kreeg je cijfers. Dat mailen hadden ze nog niet gedaan, want tot nu toe was steeds het internet uitgevallen als ze in Mabennogwat waren.

Fons had een pakket voor de middelbare school met moeilijke talen en wiskunde. Dat was allemaal nieuw voor hem en soms snapte hij er geen barst van en trapte hij boos zijn werkbladen weg.

Maar deze keer werkten ze hard door. Lena in haar T-shirt en haar wijde broek. Fons met zijn pet op en zijn zwembroek nog aan. In de bomen hoorden ze de apen ritselen en een eindje verder het gehak en gehijg van Loki. En steeds keken ze even op naar de zee met de groene eilanden en de drie boten die voor het strand lagen te dobberen.

Mailen

Het was stil en warm toen ze in het haventje van Mabennogwat aan wal klommen. Met z'n vieren, want papa was ook meegegaan om met mister Palatty over een graafmachine en een nieuwe werkman te praten.

Er was bijna niemand te bekennen, alleen een paar oude mannen die met hun ellebogen over de stenen balustrade hingen en uitkeken over zee. Hier op het vasteland was er geen zacht zeewindje meer, alleen een muffe, stoffige hitte. Lena rook rotte vis en opgedroogde modder.

Het dorp lag een heel eind van de haven af. Het eerste stuk liepen ze samen, daarna nam papa een zijweg naar het huis van mister Palatty. Mam, Fons en Lena probeerden onder de bomen te blijven lopen. Ze kwamen niet veel mensen tegen, alleen een paar jongens op de fiets.

Voor het cafeetje lag een hond te slapen en binnen zat een mevrouw te knikkebollen. Ze had ingevallen wangen en op haar rug hing een lange dikke vlecht. Ze schrok wakker en begon druk te praten. Misschien zei ze: ik zet thee en ik zet de computer aan.

Tot nu toe was het internetten steeds mislukt, maar mevrouw Roosje had gezegd dat je hier geduld moest hebben. Soms viel de elektriciteit wel een dag uit, maar het kwam altijd goed. Mevrouw Roosje zei ook dat je eerst thee moest drinken en pas dan naar de computer vragen. Trouwens, in elke winkel waar je iets wilde kopen, moest je altijd eerst theedrinken. Zo was het nou eenmaal.

Terwijl Lena en mam netjes op de krukjes bleven zitten in hun wijde jurken en met de kopjes in hun hand, was Fons stiekem naar de computer geschoven.

'Hij doet het!' hoorden ze plotseling. Mam en Lena lachten nog eens extra naar de mevrouw en Fons haalde voor het eerst hun mailtjes op. Het waren er verschrikkelijk veel.

'Nou, hier zitten we nog wel een paar uurtjes,' lachte mam. 'Lena, jij mag wel eerst!'

'Mag ik dan ook meteen terugschrijven?' vroeg Lena.

'Ja, doe maar, we blijven hier net zo lang tot we alles afgehandeld hebben.'

Lena bekeek de lijst, ze zag namen van kinderen uit haar klas. Ze opende er een paar, het waren korte kletsberichtjes. Nu naar Nelli, twee berichten maar.

Hoi Lena,
Ik ben weer terug van vakantie en ik mail meteen naar jou. Hoe is het daar? Wij hebben het heel fijn gehad. Eerst drie weken gekampeerd met papa en mama en Evi in Frankrijk. Ik had daar een leuke vriendin op de camping. Ze komt uit Nederland en nu mailen we met elkaar. Meteen daarna nog een week het zeilkamp en dat was de aller-,

allerleukste vakantie van heel mijn leven!!! Het was met meisjes en jongens en ik heb nog nooit zo'n lol gehad. Ik kan het niet uitleggen, dat moet je gewoon meemaken zoiets. Toen ik thuiskwam heb ik twee dagen op bed liggen huilen omdat het voorbij was. Mijn moeder zei dat het normaal is, heimwee naar het kamp. Jij kunt vast niet begrijpen hoe erg dat is. Die kinderen kwamen overal vandaan en nu moet ik met iedereen mailen natuurlijk. Nou, ik ga verder met de mailtjes, doei, doei.

xxx Nelli

Hoi Lena,
Ik heb nog steeds niks van je gehoord. De school is weer begonnen, de juf gaat wel, ik zit naast Hanna. Zij gaat ook mee naar de pony's. Zij kamt nu jouw Silver. We verzorgen de pony's nog steeds, maar we rijden nu op de paarden zoals je weet. Het gaat hartstikke goed. Als het zo blijft gaan, mogen we over een paar weken de duinen in. Verder is alles hetzelfde. O ja, ik ben al een paar keer met Evi bij je oma geweest. Enveloppen gemaakt natuurlijk. Ik mag nog meer kinderen meenemen, dat vindt ze leuk. Morgen gaat Hanna mee, lachen. Je oma zei dat je vader al gebeld heeft, maar dat internetten nog niet lukt. Ze zei ook dat jullie bezig zijn om een restaurant te bouwen. Schiet het al op?

xxx Nelli

Lena staarde lange tijd naar het scherm. De letters bleven pesterig voor haar ogen dansen. Nelli en Hanna op de paarden! Er spoelde een golf van ellende over haar heen, een koude en warme slappe golf. Ze keek naar het plafond waar een ventilator in het rond draaide als van een helikopter, en ze keek naar de muur die bezaaid was met bloedvlekken van doodgeslagen muggen. Ze keek ook vanuit haar ooghoeken naar Fons en mam, die een schaakbord hadden gevonden en bezig waren de stukken op te zetten. En ze keek naar haar plakhanden naast het groezelige beige toetsenbord.

Pas toen dacht ze eraan dat ze moest antwoorden.

Lieve Nelli,

Eindelijk doet het internet het. Leuk dat het goed gaat op de paarden. Doe mijn oma de groeten. We hebben haar al een paar keer gebeld. Hier is alles super super leuk! Fons en ik zwemmen de hele dag en snorkelen. Onder water zijn felgekleurde vissen en grote schelpen die open en dicht gaan. Het eiland is prachtig! Met bijzondere vogels en apen. We wonen in een houten huis iets boven het strand. Dat huis is nu nog een beetje klein maar we krijgen een groter. We hoeven hier nooit naar school. We doen ons huiswerk van de wereldschool onder de palmen. Zie je het voor je?

We hebben ook twee boten waar Fons en ik mee weg mogen als we willen. Nog niet naar het dorp aan de wal waar ik nu zit te typen, want dat is een halfuur varen. Meestal varen Fons en ik rond ons eiland. We hebben een hele hoop kleine strandjes. Daar leggen we dan de boot en gaan we spelen. Op het tweede strand worden huisjes gebouwd. Die kunnen jouw vader en moeder straks huren. Dan kun je in de vakantie hier komen en kunnen wij samen varen. Het restaurant komt vlak bij ons huis. Dat wordt nu eerst gebouwd, dat doet papa met werkmannen en een graafmachine. Het is al bijna klaar. Er komt een groot houten terras bij. Dus straks zit ik daar 's morgens te ontbijten met uitzicht op zee. Ik mag dan bestellen wat ik wil, heeft mam gezegd.

Nu moet ik stoppen want Fons en mijn moeder moeten ook nog mailen. Thuis op ons eiland kan dat niet. We moeten altijd naar dit cafeetje.

xxx Lena

'Klaar,' zei Lena.

'Nu ik,' zei Fons.

'Niet bij de verzonden berichten lezen wat Lena geschreven heeft,' zei mam.

'Doe ik niet,' zei Fons.

'Dat geldt ook voor jou, Lena.'

'Ja,' zei Lena.

'Het is fijn dat we elkaar kunnen vertrouwen,' zei mam plechtig.

Lena schoof een krukje tegen de muur en ging zitten. Had ze zich híér nou zo op verheugd? Nu had ze niet alleen heimwee, maar was ze ook nog eens superjaloers geworden. En zelfs het schamen was weer komen opzetten. Dat was nog het allerergste! Of het restaurant al opschoot, had Nelli gevraagd. Moest Lena dan schrijven dat er nog niks was op dat eiland? Niks, niks, niks, geeneens brood? Kapót schaamde ze zich ervoor!

Het was wel een voordeel dat je met mailen alles mooier kon maken. Nu dacht Nelli – en daardoor hun hele dorp natuurlijk – dat er al bijna een prachtig restaurant lag. Niemand kon zien hoe hun huisje er bij lag, en de armzalige kuil tussen de mangroves die voor geen meter opschoot. En dat gore fornuis buiten, ondergescheten door de vleermuizen, en dat gat in de grond als plee, en die plastic zak als douche. Als Nelli nou maar niet om foto's zou vragen.

Mam nam haar kommetje thee op en ging naast Lena zitten.

'En?' vroeg ze. 'Wat schreef iedereen?'

Sani en Loki

Papa had mister Palatty niet thuis getroffen, daarom was hij doorgelopen naar mevrouw Roosje. Die had verteld dat mister Palatty alleen zondags thuiskwam, want hij was in de hoofdstad bezig met het bouwen van een hotel. Daar was hij de baas van de bouw en moest zorgen dat alles in orde kwam.

Toen het zondag was wilde papa meteen naar hem toe, maar nog voor hij goed en wel aangekleed was, kwam mister Palatty zelf al aangevaren.

Lena was net bezig droge takjes in het fornuis te stoppen, terwijl mam het pannenkoekenbeslag maakte. Fons zat in zijn onderbroek op het trapje duf voor zich uit te kijken, en papa stond op de veranda aan de knoop in zijn theedoek te prutsen.

'Daar heb je Palatty,' riep papa. 'Fons, haal gauw water voor de thee!' Papa liep het strand over naar de waterkant. Hij liep zelfs een beetje de zee in om mister Palatty tegemoet te gaan.

'Dat is een tijd geleden!' zei mister Palatty toen ze met z'n allen onder de palmen zaten.

'Zeker, zeker,' zei mam. Mister Palatty keek hoofdschuddend naar papa's arm in de theedoek.

'Gaat het verder goed, behalve die arm?' vroeg hij.

'Ja, hoor, heel goed,' antwoordde mam. 'Alleen hebben wij allemaal nogal last van jeuk, vooral op onze benen.' Nou, nogal, nogal, dacht Lena, het was behoorlijk erg, ze werden er tureluurs van.

'Dat is vervelend,' zei mister Palatty. Hij glimlachte erbij, zag Lena, wel raar.

'Fons, laat jij je bultjes even zien,' zei mam.

'Aha, dat zijn gewoon beten van bloedzuigers.'

'Bloedzuigers?' griezelde mam.

'Ik zou zeggen: tabaksbladeren,' besloot mister Palatty.

'Tabaksbladeren?'

'Ja. Elke dag een paar keer mee inwrijven, dan verdwijnt de jeuk.'

'Ik zou liever hebben dat die bloedzuigers verdwenen,' zei mam.

'Ach, vergeet dat maar,' lachte mister Palatty, 'die heb je nou eenmaal op zo'n eiland. Ze zitten voornamelijk in het bos.' Hij nam een slok thee en keek papa aan.

'Ik hoorde dat je er een werkman bij wilt hebben.'

'Ja,' zei papa.

'Ik heb er een voor je. Hij kan morgen met Loki meekomen.'

'Dat is mooi,' lachte papa.

'Ik hoorde ook dat je een graafmachine nodig hebt.'

'Ja.'

'Die heb ik ook voor je. Op de bouw kunnen we er wel een missen. Een minigraver, je kunt hem voor een prikkie overnemen.'

'Fijn,' zei papa.

'Maar voorlopig kom ik hem niet brengen,' zei mister Palatty streng. 'Een minigraver heeft geen zin zolang je geen steiger hebt. We kunnen hem moeilijk door de zoute zee gaan slepen, dan is hij zó naar de haaien. Ik had je toch gezegd dat je moest beginnen met die steiger?'

'Tja,' zei papa. Het was even stil, Lena schaamde zich een beetje voor haar vader. Waarom had hij niet naar mister Palatty geluisterd?

'Oké, we gaan meteen met die steiger aan de gang,' mompelde papa.

'Ik kan je bamboe verkopen,' zei mister Palatty. 'Je hebt een hoop bamboe nodig, want hij moet natuurlijk drijven.'

'O ja, dat is waar ook,' zei papa.

'Ik geef de eerste lading morgen wel met de mannen mee.'

'Als we u niet hadden!' riep mam uit.

'Ga niet denken dat het goedkoop is,' voegde mister Palatty er nog aan toe.

'Ach, wat moet dat moet,' zei mam vriendelijk, maar Lena hoorde haar vader zachtjes mopperen. 'Wel ja, dat kan er ook nog wel bij!'

De volgende morgen kwam Loki met een boot vol bamboe en houten planken, én met de nieuwe werkman. Ze liepen een tijd door de zee heen en weer om alles op het strand te leggen. Daarna kwamen ze naar het huis om iedereen een hand te geven. De nieuwe man heette Sani, hij miste een voortand en had een kromme rug en smeerde zich ook al in met petroleum en uien.

Papa gaf orders om de steiger te bouwen. Volgens mister Palatty wist Loki precies hoe dat moest. Het was iets met palen in zee en daartussen een drijvend plankier. De mannen gingen het bos in, ze bleven een tijd weg en kwamen eruit met afgezaagde bomen. Maar in plaats van die bomen naar de waterkant te brengen, begonnen ze druk te praten en te wijzen naar de kuil van het restaurant. Ze gooiden de stammen erin.

'Wat doen ze nou?!' jammerde papa. 'Die stammen moeten de zee in.'

'Ze wijzen naar de lucht,' zei Lena.

'Misschien zijn ze bang voor geesten,' begon Fons. 'Ik heb daar iets over gelezen.'

'Ja, dan moeten ze iets offeren aan de goden,' wist Lena.

'Als ze mijn goeie hout maar niet in de fik steken,' zei papa.

'Zouden ze niet bedoelen dat het gaat regenen?' vroeg mam. 'Mister Palatty had het daar gisteren ook al over.'

'Waar slaat dat op?' zei papa. 'In die kuil worden die stammen net zo nat als op het strand.'

'Ze hebben natuurlijk niet begrepen dat ze met de steiger moeten beginnen,' zei mam. 'Onhandig toch dat ze geen Engels spreken! Bram, je moet laten zien dat jij de baas bent. Gewoon bij hun lurven pakken en naar het strand sleuren!'

'Ik weet wat, ik maak een tekening van een steiger,' zei Fons. Hij rende naar zijn schooltas op de veranda. Intussen begon papa aan de hemden van de mannen te trekken en 'hé, hé, ho, ho' te roepen. Loki en Sani bleven naar de lucht en de kuil wijzen, maar lieten zich tenslotte toch meeslepen.

Bij de waterkant bleven ze staan. Papa wees met een boos gezicht naar de bamboeberg en liet de tekening van Fons zien. Maar Loki gaf er een klap op en ging in het zand zitten roken. En Sani liep de zee in en ging in de boot zitten.

Papa kreeg er genoeg van, hij kwam terug naar het huis.

'Jilletje, ik weet het niet meer,' zuchtte hij. 'Ik krijg een punthoofd van die kerels.'

'Je moet hun taal ook leren,' zei Lena.

'Dat kan ik niet meer op mijn leeftijd,' zei papa. 'Zie je nou, Jill? We hadden de kinderen naar dat schooltje moeten sturen om de taal te leren. Dan hadden ze ons kunnen helpen. Het lijkt me trouwens helemaal niet zo gek, want Fons doet geen donder aan zijn huiswerk.'

'Dat is een basisschool, hoor, daar ga ik niet meer heen,' zei Fons.

'Dan Lena,' zei papa.

'Ik ga er ook niet heen,' zei Lena. 'Bij mij gaat het hartstikke goed met de Wereldschool.' Ze begon te griezelen. Ze kon niet geloven dat haar vader het echt meende. Dat kon toch niet waar zijn? Alleen om voor hén de taal te leren, moest zíj naar dat schooltje! Waarom zei mam nou niks? Ze keek haar moeder vragend aan.

'Toch is het iets om over na te denken, Lena,' begon mam aarzelend. 'Met alleen Engels kom je er niet, dat is me nu wel duidelijk geworden. En híér ligt jullie toekomst, hier zullen jullie vrienden moeten maken. Jullie zullen óók problemen krijgen als je de taal niet spreekt. Misschien moeten we het eens met mevrouw Roosje bepraten.'

Lena's maag kromp samen. Haar toekomst? Lag die hier? Ja, natuurlijk, ze moest de rest van haar leven Indiaas praten. Daar had ze eigenlijk nooit bij stilgestaan. Ze had alleen maar nagedacht tot de volgende zomer wanneer Nelli en de gasten zouden komen.

Ze keek naar Fons, maar die had zich omgedraaid en hing nonchalant over de leuning van de veranda alsof hij er niets meer mee te maken had.

'Kijk!' zei hij plotseling. En toen zagen ze het. Sani en Loki waren weggevaren. Ze werden kleiner en kleiner in de groenblauwe zee waarboven een donkere wolk kwam opzetten.

Mam probeerde papa op te vrolijken. Ze zei dat alles een misverstand was, dat ze naar mevrouw Roosje zou gaan. Die zou alles wel uitleggen aan Loki en Sani en hen terugsturen. En mam stookte het fornuis op om zijn lievelingseten te maken, nasi. Maar het hielp niet, Lena zag haar vader met zijn hoofd naar beneden hangen. Hij zei dat mevrouw Roosje niet eens wist waar Loki en Sani woonden en dat hij tot zondag – een hele week nog – op mister Palatty moest wachten.

Mam zei toen dat het goed was voor papa's arm om een weekje te rusten. En toen werd papa kwaad en trapte het *cookies*-blik het trapje af.

En 's middags waren er overal wolken en ging het regenen. Niet zomaar regenen, nee, gieten, hozen! De dikke druppels vielen loodrecht naar beneden als een gordijn van water. Lena hielp haar moeder met het plastic over het fornuis en vloog toen drijfnat het huis in. Binnen roffelde de regen op het tinnen dak. Het leek of ze in de garage zaten en haar vader al zijn motors tegelijk had gestart. Mam deelde watten uit om in hun oren te stoppen.

Later ging Lena op haar bed zitten en haalde haar schrift tevoorschijn. *Een gordijn van regen voor je ogen*, schreef ze.

Vreemde voetsporen

Het was alweer weken en weken later, half november om precies te zijn. De steiger was nu eindelijk af. Op de verste punt lagen de boten lekker te dobberen, aangemeerd en wel.

Vanmorgen vroeg was de minigraver gekomen en kon er eindelijk begonnen worden aan de kuil voor het restaurant. Lena vond het een leuk ding. Het was eigenlijk een groen ijzeren zitje met een rood dakje erboven op rupsbanden, en met een leuke grijper eraan die zand kon happen.

Loki en Sani waren uiteindelijk een week weggebleven en toen tóch teruggekomen. Daar had mister Palatty voor gezorgd. Het was allemaal een misverstand geweest. De mannen hadden de kuil willen verstevigen met boomstammen zodat hij niet zou wegspoelen door de regen, maar omdat papa hen naar het strand had gesleurd, waren ze boos weggevaren.

Inderdaad was er na de regenbui niets meer over van de kuil. De hele zaak was weggespoeld, net als het hekje van opgestapelde stenen dat papa en Fons bij de zitplek hadden gemaakt. Al het werk was voor niets geweest. Papa had net zo goed een maand kunnen gaan snorkelen.

Na de bui hadden er diepe geulen over het strand gelopen, met bruin zand, wortels, takken en stenen. Ook hun messen, vorken en bekers waren van het tafeltje afgestroomd en hadden langs de waterkant gedreven.

Later waren er vaker regenbuien geweest. Die kwamen ineens 's middags en verdwenen even plotseling na een paar uur. Lena wist intussen precies wanneer er een bui aankwam en wat ze dan moest doen.

Dat Lena naar het schooltje moest, was gelukkig met een sisser afgelopen. Mam was wél naar mevrouw Roosje gegaan om erover te praten. Maar die had gezegd dat Lena beter een jaartje kon wachten. Dan kon ze in de hoofdstad naar een goeie middelbare school waar ook Engels gesproken werd. Je kon daar eten en slapen en af en toe een weekendje naar je ouders. Haar zoon Fatik zat er ook op, die kwam om de paar weken met het kleine vliegtuigje naar huis.

Fons kon er beter meteen heen gaan, vond mevrouw Roosje. Vooral omdat hij geen steek vooruitging op de Wereldschool.

Maar gelukkig voor hem ging dat niet door, want mam en papa hadden nu geen geld voor die school, er moest nog zó veel betaald worden. Bovendien beloofde Fons dat hij beter zijn best zou doen. En nu maakte hij geen proppen meer van zijn Franse woordjes en liet zich 's avonds bij de olielamp door mam overhoren.

Lena vond hem trouwens erg veranderd, niet meer zo leuk als vroeger. Hij zeurde over de hitte en het eten, en werd kwaad als hij even iets moest doen. Ook wilde hij 's morgens niet uit bed komen en 's avonds niet erin, en hij gaf overal een trap tegenaan. En het ergste nog, hij keek de hele dag verveeld en ontevreden.

Mam zei dat het normaal was, zogenaamd de puberteit, je moest er maar niet op letten. Maar dat sloeg nergens op. Op wie moest Lena dán letten? Fons was de enige die ze hier had. De enige! Verder had ze alleen maar Nelli om mee te mailen.

Dat mailen was wel fijn, al liep het een klein beetje uit de hand. Omdat ze namelijk in het begin geschreven had dat het restaurant bijna klaar was, moest ze alsmaar nieuwe dingen verzinnen en nu kon ze niet meer terug. Want Nelli vroeg steeds hoever het ermee stond, die was natuurlijk stiknieuwsgierig.

Lena had toen het restaurant maar eigenhandig afgebouwd in de mailtjes. Met een dak van palmbladeren zoals het huis van mevrouw Roosje, en een groot overdekt terras met hekjes van houtsnijwerk. En een bar, en trapjes en kamers met ijskasten en koffiezetapparaten. Het was niet eens zo moeilijk om te bedenken, want Lena had vroeger goed rondgekeken bij mam in Reseda.

In elke mail bleef Nelli haar maar doorzagen over de hutten voor de gasten. Of die al bijna klaar waren, want ze popelde om te komen van de zomer. En Lena had weer verder moeten verzinnen. Ze had geschreven dat het een hoop werk was om alle tafels en stoelen voor het restaurant te timmeren. Daar waren ze nu al weken mee bezig.

En dat, terwijl er in het echt alleen nog maar een steiger was, en een weggespoelde kuil. Stom, stom, had ze in het begin nou maar nooit opgeschept over het restaurant! Nu moest ze wel dóór. In de volgende mail zou ze er niet meer onderuit kunnen. Dan moest ze Loki en Sani met de minigraver laten beginnen met de hutten op het tweede strand...

Lena klapte haar rekenschrift dicht, ze was klaar met haar huiswerk. Ze keek naar Fons. Die zat op zijn pen te kluiven en loerde ondertussen naar de mannen. Loki bestuurde de minigraver, hij zat hoog in het zitje als een koning. Zijn onderdanen waren Sani en papa, die met mangrovewortels sleepten.

'Volgens mij doet die minigraver in één ochtend net zo veel als een maand scheppen met de schop,' zei Fons. Hij gooide zijn schriften ook maar in zijn tas, klaar of niet klaar.

'Zullen we gaan kijken?' vroeg Lena.

'Ikke niet. Dan kunnen we gelijk meehelpen.'

'Als we naar mam gaan, moeten we dáár weer helpen.' Lena zuchtte. Hier op het eiland was haar moeder constant aan het sloven. De hele dag was ze bezig met koken, schoonmaken, wassen en varen naar het vasteland om eten te bemachtigen. Zelfs de naaimachine raakte ze niet meer aan, daar had ze het veel te druk voor. De laatste keer dat ze iets genaaid had was alweer weken geleden. Dat waren hangmatten, maar daar waren de apen in gaan slapen en die stonken nu een uur in de wind.

Alles wat mam thuis in een wip deed, duurde hier eindeloos. Ze was al een halve dag kwijt aan boodschappen doen in Mabennogwat. En eenmaal terug, begon het pas. Het hakken en snijden en beslag kloppen, niks was kant-en-klaar. De groente moest drie keer gewassen worden maar er was geen kraan, dus mam was maar aan het spoelen van het ene teiltje in het andere. En hier kocht je geen schoongemaakte stukjes kip in kartonnen bakjes zoals thuis, maar een enge kip zonder kop waarvan je zelf de veren moest uittrekken en de pootjes moest afhakken.

En dan de was zonder kraan! Daarvoor deed mam eerst de vuile kleren in een zwarte vuilniszak, vulde hem met koud sop en knoopte de zak goed dicht. Dan liet ze hem een dag in de zon staan om de kleren te laten weken. Als je die zak zag staan kon je rustig ademhalen, dan viel mam je meestal niet lastig. Maar de volgende dag moest je maken dat je wegkwam, want dan zette ze de teilen neer en moest er eindeloos gewreven, gewrongen en gespoeld worden en water gehaald worden bij de put. Als je ook maar even je gezicht liet zien, was je de klos.

'Varen?' vroeg Fons.

'Goed.'

Traag tuften ze langs hun eiland dat als een groene kool in het lichtblauwe water lag. Het water kabbelde en klotste zachtjes tegen de boeg. Ze hadden de 'Schelp' genomen omdat er een dakje op zat tegen de zon. Fons zat aan het roer. Hij manoeuvreerde de boot niet te dicht langs de mangrovekust, want daar was het water troebel en Lena wilde vissen kijken.

Lena lag op haar buik op de voorplecht met haar hoofd over de rand gebogen. Ze had een bikini en een T-shirt aan en een pet op. In de boot lag de rieten tas met limonade en bananen, en hun zwemvliezen en snorkelspullen. En ook hun gympen want ze wilden weer naar het allerverste strandje, helemaal aan de achterkant van het eiland. Daar hadden ze de vorige keer een hoge klimboom gezien, maar toen hadden ze alleen slippers bij zich gehad en konden ze er niet in.

'Langzamer!' riep Lena.

'Nóg langzamer?'

'Ik zie fladdervissen.'

'Die gele?'

'Ja. Hè, nou zie ik ze niet meer,' zei Lena.

'Daar is het strandje!' zei Fons. Hij gaf een ruk aan het roer. Lena ging rechtop zitten, in de verte zag ze de klimboom al.

Ze moest eraan denken dat ze Nelli had gemaild dat er heel veel strandjes waren. Waarom had ze dat eigenlijk gedaan? Om op te scheppen? Omdat ze zich schaamde dat het maar zo'n klein eilandje was? In ieder geval was het stom, in de zomervakantie zou

Nelli meteen merken dat er maar drie strandjes waren. Het eerste was dat met de steiger, hun huis en de restaurantkuil. Het tweede, voor de gastenhutten, lag er vlakbij. Je kon er komen als je achter het huis omhoog liep, langs de de kokospalmen. En het derde strandje, helemaal op de noordpunt, daar gingen ze nu heen. Dat was alleen vanuit zee te bereiken, want het hele eiland was onbegaanbaar door grillige wortels en prikstruiken. De rest van de kust was bedekt met mangroves en modderig slib, daar kon je niet eens aan de kant komen.

'Pak jij het anker,' riep Fons. Lena sjorde de ijzeren ketting met daaraan het zware anker op de rand van de boot. Ze zag het witte strandje dichterbij komen.

'Gooien maar!' riep Fons. Lena gaf een duw, het anker plonsde het water in, de ketting rammelde.

'Staat-ie strak?'

'Ja,' zei Lena. Fons zette de motor uit. In één klap was het doodstil, je hoorde alleen het zachte geklots tegen de boot. Het leek wel of ze ineens helemaal alleen op de wereld waren. Ze bleven een poosje zitten waar ze zaten, zonder zich te bewegen.

'Mooi, hè?' verbrak Lena de stilte.

'Ja,' antwoordde Fons dromerig.

'Kom,' zei hij plotseling, 'we gaan, neem jij de tas, dan neem ik de rest.' Hij wipte over de rand en sprong in het water.

Op het strand liet Lena haar lange broek droog wapperen. Ze keek hoe Fons een schaduwplek zocht, de handdoeken uitspreidde en de spulletjes erop legde. Even moest ze aan haar eigen zee denken, de zee van vroeger met de boulevard en de strandtent...

'Hé, wat raar!' Fons tuurde in het zand. 'Moet je kijken.' Lena kwam dichterbij.

'Ik zie niks.'

'Jawel joh, hier, voetsporen.' Fons zijn stem beefde een beetje.

'Nou, én? Dat is toch niet zo gek? Iemand heeft hier zeker zitten picknicken of zo.'

'Iemand, iemand!' riep Fons. 'Moet je kijken, het lijkt wel een heel leger!'

Ja, nu zag Lena het ook. Heel veel voetstappen, grote en kleine. Ze keek Fons aan alsof hij uitleg kon geven, maar Fons werd alleen maar bleek.

'Ik snap het niet, hoor,' zei hij zacht. 'De mensen weten toch dat het eiland van ons is? Trouwens, hoe kan dat nou, ik heb nog nooit heel veel boten langs zien komen.'

'Misschien zijn het toeristen met zeilboten, die van de andere kant gekomen zijn,' bedacht Lena.

'Dat kan niet, daar is in de verste verte geen haven,' zei Fons.

'Of misschien zijn het die mensen van het grote eiland waar we niet mogen komen, die oorspronkelijke bewoners.' Die nog met pijl en boog schieten, wou Lena er achteraan zeggen, maar ze hield zich in. Ze zag Fons wit wegtrekken.

'Nou ja,' zei ze, 'al zouden het die mensen met die pijlen zijn, dan is het toch niet erg? Ze zijn nou tóch weg.' Ze maakte een radslag om Fons te laten zien dat het haar niks kon schelen. Maar Fons zei niets terug, hij liep naar de zijkant van het strand waar de mangroves en de blubberige geulen begonnen. Hij zocht in het slib naar voetafdrukken en hij vond er ook een paar.

'Kijk nou,' zei hij. 'Moet je zien wat een brede voeten, niet normaal!'

'Jij ziet spoken,' lachte Lena. 'Als wij hier gaan staan, worden onze afdrukken net zo groot omdat je wegzakt.' Ze zette één voet in het slib om het te laten zien.

Er sprong een kikkerachtige vis van de ene geul in de andere. Hij zag er eng uit, vies glibberig, hij gebruikte zijn vinnen als twee voorpoten en had grote bolle ogen boven op zijn kop.

'Is dat nou een kikker of een vis?' vroeg Lena. Ze had genoeg van dat bange gedoe. Fons begon haar op haar zenuwen te werken. Straks werd zij ook nog bang.

'Een vis,' zei Fons mat. 'Een slijkspringer.'

'Wie het eerst bij de klimboom is,' riep Lena en ze rende het strand op.

Het kind

Om bij de klimboom te komen moesten ze een stuk door de struiken ploeteren. Fons liep voorop en hield af en toe een doornentak opzij zodat Lena erlangs kon. Op een open plek zagen ze prachtige bloemen, witte hangende kelken waren het, met een wolk van vlinders eromheen. Fons probeerde een vlindertje te vangen, maar dat was hem te vlug af. Ze strompelden verder tot de boom.

'Ik kan een strandje zien op het grote eiland!' riep Fons. Hij zat een paar takken hoger dan Lena. Lena wilde niet hoger, ze vond het wel best zo. Vanhier kon ze een heel eind over hun eigen eilandje kijken. Het was een en al groen wat je zag. Ze tuurde naar beneden om te zien of hier ook apen waren, net als aan de andere kant, bij hun huis. Maar behalve wat vlinders en vogels bewoog er niets. De apen bleven in de buurt van een zoetwaterbron, had mister Palatty gezegd. Als hier geen apen waren, betekende het dat hier geen bron was.

Toch zag ze ver weg in het struikgewas iets bewegen. Ze keek eens goed, ze zag een zwarte arm, was het een aap? Nee, de apenarmen hadden een heel andere kleur. Ze kneep haar ogen samen. Het beest kwam nu uit de bladeren tevoorschijn. Een beest? Helemaal geen beest! Het was een mens, een kind, een klein zwart kind. Zag ze het wel goed?

'Fons!' zei ze zacht. 'Ik zie wat. Stil, niks zeggen! 't Is geloof ik een mens.' Fons kwam naar beneden en Lena wees met haar vinger. Ze trilde van de zenuwen. Nu zagen ze het allebei: het was een klein kind, geen twijfel mogelijk! Het probeerde door de prikstruiken te komen. Ze zagen het wanhopig kruipen en weer opstaan. Ze keken van bovenaf op zijn korte zwarte krulletjeshaar. Lena hield haar adem in.

'Hou je heel stil,' fluisterde Fons. 'Als er een kind is, moeten zijn vader en moeder in de buurt zijn. Zie je wel dat het die Afrikaanse stam van het grote eiland is! Nou weet ik het zeker, want niemand is hier zo zwart met van die kleine krulletjes.'

'Hij is verdwaald, denk ik.' Lena hield haar ogen op het kind gericht. 'Hij zit vast, hij kan niet uit die struiken komen.'

'We blijven hier zitten tot ze hem meenemen,' zei Fons vastberaden. 'Ze zien ons toch niet in de boom.'

'Ja,' zuchtte Lena. Maar ineens dacht ze aan hun uitgespreide handdoeken op het strand. De volle tas, hun slippers...

'Onze spullen!' zei ze met een bibberstem. 'Die zien ze wél, en dan gaan ze ons zoeken, natuurlijk.' Ze beefde zo, dat ze zich steviger vast moest houden aan de dikke stam.

'De... de Schelp!' stamelde Fons. O ja, daar had Lena niet eens aan gedacht. Aan hun boot kon je zó zien dat er hier mensen waren. Het had totaal geen zin om je te verstoppen voor die ouders.

'Laten we weggaan,' smeekte ze, 'gewoon rennen naar de boot.'

'En als ze nou net op het strand lopen?'

'Klim nog een eindje, dan kun je het strand misschien zien.'

Fons gaf geen antwoord en begon meteen zijn voet een tak hoger te zetten. Lena bleef ondertussen naar het kind kijken. Nu probeerde het een priktak om te knakken, wel slim voor zo'n jong kind. Of misschien was het niet eens zo jong, misschien waren deze mensen gewoon klein van stuk.

Waar bleven zijn vader en moeder nou? Die moesten toch in de buurt zijn, want alleen bij dit strandje kon je aan wal komen. Ineens schrok ze. Als zijn ouders hier nog waren moest er een boot liggen. En die lag er helemaal niet! Hadden ze hem dan vergeten mee te nemen? Je vergat toch niet zo maar je kind? Lena wilde het meteen tegen Fons zeggen, maar die zat nu een stuk hoger en ze durfde niet te schreeuwen.

Nu kon ze het kind beter zien, het was stil gaan zitten en het huilde met zijn handen voor zijn ogen. Of het een meisje of jongetje was, kon Lena niet ontdekken. Het had een lapje om zich heen als een slordig kort broekje, verder niets. Alleen om zijn bovenarmen en om zijn benen vlak onder de knieën had hij gekleurde bandjes.

Lena voelde zich misselijk worden. Hier zat ze nou, slap en duizelig van de zenuwen, met zere billen in haar bikini in een hoge boom. Het was net of Fons en zij in een eng oerwoud terechtgekomen waren. Een oerwoud waar mensen woonden die nog nooit witte kinderen hadden gezien. En die de twee witte kinderen natuurlijk mee zouden nemen naar de rest van de stam, om te laten zien wat ze nóú weer opgeduikeld hadden. En dan zouden ze Fons en haar meevoeren diep het oerwoud in. Waar niemand je kon redden...

Ze was in haar hele leven nog nooit zo bang geweest als nu. Had ze nou tóch maar meeuwenvleugels zoals mam, dan zou ze een-twee-drie naar huis vliegen.

'Er is geen mens te zien op dat hele strand!' Fons was weer naar Lena toe gekropen en kwam met bengelende benen boven haar zitten.

'Maar Fons,' fluisterde Lena. 'Er ligt geen boot, dus die mensen van die voetstappen zijn gewoon wég. Er waren toch heel véél voetstappen? Ik denk dat ze met een grote groep waren en dat ze hem vergeten zijn. We moeten zo vlug mogelijk naar de Schelp voordat ze terugkomen.'

'Ja. Dacht ik ook al. Kom op, eruit! Als de bliksem!' zei Fons. Ze schoten als apen naar beneden. Daarna op de grond tussen de bladeren door, roetsj, roetsj, schrammen op de benen, bloed, gaf niks, dóór, dóór! Bij de witte bloemen bleven ze even uitpuffen.

Hier leek het wel of ze iets hoorden. Ja, daar was het weer: geschreeuw. Zielig, klagelijk geschreeuw. Het kind had hen natuurlijk gehoord en was gaan jammeren om hulp!

Lena stond als aan de grond genageld. Moesten ze dat kleine hummeltje niet helpen? Ze konden hem toch niet zomaar laten zitten in die doornenboel?

'Doorlopen!' siste Fons. 'Rennen! Laat dat kind nou maar, ze vinden hem heus wel.' Hij trok aan Lena's arm, maar Lena rukte zich los.

'Hij zit vast, Fons! We kunnen hem toch wel even uit die prikkelstruiken halen? Dan zetten we hem hier bij de vlinders, in de zachte aarde.'

'Nee,' zei Fons. 'Doorsjezen!'

'Whaah, Whaah,' klonk het klagelijk in de bosjes. Lena kon er niet meer tegen.

'Dan doe ik het wel alleen,' zei ze. 'Ik heb het in een tel gedaan.' En voordat Fons haar kon tegenhouden, liep ze op de jammerkreten af. De bloedende krassen op haar armen en benen, haar gescheurde bikinibroekje, de hitte, de stekende beestjes, het kon haar allemaal niks meer schelen; ze ging dat kleine kind redden.

Daar was ze al bij hem. Fons was toch maar met haar meegelopen. Hij hield de takken omhoog en Lena schoof op haar buik over de grond. Nu zag ze het kind pas goed. Maar het kind zag háár ook en begon te krijsen van angst. Hij verstopte zijn hoofd onder de bladeren en trappelde met zijn benen.

'Pak hem gewoon beet!' hijgde Fons. 'Vlug! Het moet vlug!'

'Hij wil niet,' zei Lena. Ze raakte een beetje in paniek. Hoe moest je zo'n tegenstribbelend kind mee zien te krijgen?

'Kom hier, hou die tak vast, dan doe ik het wel.' Fons kroop naar voren en greep het wilde kind beet, precies zoals hij een spartelende karper van het haakje haalde. Hij deed niet eens aardig tegen hem.

Nu ging Lena voorop en boog telkens de takken opzij. Haar handen zaten vol dorentjes, maar ze voelde het niet. Fons liep vlak achter haar met het kind onder zijn arm. Het lapje om zijn middel was verschoven en Lena kon zien dat het een jongetje was. Ze schatte hem een jaar of drie.

Bij de witte bloemen kwakte Fons hem neer als een zak aardappels.

'En nu rennen! Niet meer kijken!' waarschuwde hij. Lena deed maar wat hij zei en even later zagen ze het lege strand met hun vertrouwde spulletjes. Ze graaiden alles bij elkaar, propten het in de tassen, trapten hun gympen uit en holden naar de zee.

'Verdorie, daar heb je hem!' riep Fons.

'Hij is ons achternagelopen,' gilde Lena. Ze keek naar het kleintje dat nu niet meer schreeuwde van angst, maar juist naar hen toe kwam op zijn korte beentjes. Hij had grote pikzwarte ogen, die nog blonken van de tranen.

'Bwaah, bwaah.' Het jongetje keek hoopvol naar Lena omhoog. In een flits dacht ze, dat betekent natuurlijk: laat me niet alleen. Dat was ogentaal, daar had je geen woordenboek voor nodig.

'Sta niet zo te teuten!' gilde Fons. Zijn stem sloeg over. Lena moest mee de zee in.

In de Schelp ploften ze op de bodem neer, hun harten bonkten. Fons haalde het anker nog niet meteen op, ze waren veilig nu. Dat vreemde volk had gelukkig de motor nog niet uitgevonden. Die roeiden in lange uitgeholde boomstammen, dat had Lena in het platenboek van mister Palatty gezien. Als die boten er aankwamen, waren Fons en zij zó weg.

'Ik ben kapot!' hijgde Lena.

'Belachelijk dat die mensen op ons eiland komen,' zei Fons kwaad.

'Ja, maar hoe kunnen zij nou weten dat wij het gekocht hebben?'

'Sani en Loki kunnen er een hek omheen zetten,' zei Fons. Lena hoorde de twijfel in zijn stem.

'Dat is belachelijk,' zei ze. 'Misschien komen die mensen hier al hun hele leven. Al dit land was trouwens het eerst van hén.'

Papa had verteld dat ze 'inboorlingen' werden genoemd en dat woord betekende 'hier geboren'. Maar de regering pikte steeds meer land van hen af en verkocht dat aan rijke mensen. En die mensen konden wel trots met een papier wapperen – het bewijs dat het land eerlijk gekocht was – maar daar snapten die hiergeborenen toch zeker niks van! Die hadden nog nooit een papiertje gezien. Die dachten alleen maar: wat is dat voor een raar blad, aan welke boom groeien nou vierkante witte bladeren?

Dit strandje valt ook alweer af, dacht Lena teleurgesteld. Wat bleef er nou nog over van hun hele eiland? Nelli zou ervan schrikken.

'Mister Palatty zei dat ze alleen op het grote eiland leefden,' zei Fons. 'Zou hij weten dat ze hier ook komen?'

'Ik weet het niet,' zei Lena. 'Dan zou die vent die hier woonde, die Engelsman, het hem verteld moeten hebben.'

'O, jee!' Fons ging ineens rechtop zitten. 'Misschien is die Engelsman dáárom wel plotseling vertrokken, omdat... omdat hij ook bang is geworden.' Lena schrok, dat kon wel eens waar zijn, maar toch zei ze: 'Grote mensen worden toch niet bang als er aan de andere kant van het eiland even een paar vreemdelingen in een uitgeholde boomstam...'

'Ze hebben de Engelsman vast verjaagd met pijl en boog,' viel Fons haar in de rede. 'Daarom heeft hij alles zomaar in de steek gelaten.'

'Ik moet echt even kopje onder, ik heb het stikheet,' zei Lena. Ze werd er niet goed van, ze wilde al die enge verhalen van zich afspoelen. Nog even controleerde ze de horizon op vreemde schepen en wipte toen over de rand van de boot.

Later, toen de motor pruttelde en het anker binnenboord was, haalden ze diep adem. Fons draaide het schip en gaf een dot gas. Daar gingen ze weer, gewoon op huis aan, niks meer aan de hand!

Het leek net, dacht Lena, of ze ontwaakt was uit een vreemde droom en nu pas weer normaal kon nadenken. Voor de laatste keer keek ze om naar het strandje en zag het kleine zwarte jongetje in elkaar gedoken zitten. Ze begon ervan te rillen, het voelde niet goed, het voelde helemáál niet goed.

Als niemand hem nou kwam ophalen, wat dan? Ze zou geen oog dichtdoen vannacht. Eén ding was zeker, vanmiddag moesten ze met papa terug om te kijken of hij er nog zat. Maar als hij nou intussen doodging van de honger? Ze hadden hem niet eens wat gegeven. De bananen en de limonade zaten nog in de tas. En als ze hem vanmiddag niet op het strand zagen, hoe kwamen ze er dan achter of hij was opgehaald of dat hij weer ergens vastzat in een doornenstruik? Moesten ze dan het hele eiland gaan uitkammen?

Ineens wist ze wat haar te doen stond. Ze moesten hem bij zich houden en meenemen naar huis. Daar zouden papa en mam of Sani en Loki vast wel weten wat het beste was. Wát zij ook over het jongetje zouden beslissen, Fons en zij hadden dan gedaan wat ze konden.

'Fons, terug naar het strandje!' sprak ze ferm.

Het is hier nog steeds héél fijn

Fons zette de motor in z'n achteruit tot de Schelp stil voor de steiger lag. Lena stapte uit met het touw in haar hand en knoopte het in een dubbele lus over de paal. Fons schakelde de motor uit en sprong ook op de steiger.

'Neem je hem niet mee?' vroeg Lena.

'Nee, laat hem maar even zitten, we gaan het eerst vertellen.'

Lena keek naar het kleine ongelukkige hoopje kind. Vanaf het moment dat Fons hem als een varkentje van het strand had geplukt, had het kind de hele weg opgerold in een hoekje gezeten. Lena had zijn gezichtje niet eens kunnen zien.

'Kom nou maar,' zei Fons. Lena draaide zich om. Ze hoorde het geronk van de minigraver en zag de mannen in de hete zon zwoegen. Mam stond in het zand bij het fornuis en zwaaide.

Plotseling begonnen ze allebei te rennen. En het voelde net als vroeger, als papa 'de verschrikkelijke beer' speelde en Fons en zij alleen maar konden vluchten in de armen van hun moeder.

'Een kind?' Mam begon te lachen. 'Van een mangrovewortel zeker, een houten pop!'

'Nee, een echt kind. Hij zit in de Schelp.'

'Uit zee gered?' vroeg mam ongelovig.

'Nee,' antwoordde Fons, 'uit de bosjes.'

'Jongens, ga even zitten en doe eens rustig. Wat bedoelen jullie nou?'

Ze begonnen het hele verhaal te vertellen, van a tot z. Daarna, toen mam op een holletje papa had gehaald, nóg eens van a tot z. Papa riep Loki en Sani erbij. Die begrepen er natuurlijk geen sikkepit van, maar papa gebaarde 'kom mee' en toen liepen ze met zijn allen de steiger op. Bij de Schelp bleven ze op een kluitje staan en keken de diepte in.

'Ach gut,' zei mam.

'Het is er inderdaad eentje van de overkant,' zei papa.

'Bram, haal hem eruit, dan geven we hem eerst wat te drinken,' riep mam. Lena zag haar vader de boot inspringen en voorzichtig naar het kind toelopen. Hij probeerde zijn handje te pakken alsof hij hem zó mee uit wandelen kon nemen. Het kind begon naar papa te trappen. Nu kon je zijn angstige gezichtje zien, met bange hertenogen.

Opeens begonnen Loki en Sani te gillen. Ze wezen naar het kind en ze wezen naar de zee. Loki haalde het touw van de paal en gaf een trap tegen de boot. Terwijl hij het touw bleef vasthouden, zwaaide hij met zijn andere hand: weg, weg!

Lena begreep meteen wat Loki en Sani bedoelden. Ze wilden het kind hier niet hebben, ze wilden dat papa het kind terugbracht. Ze waren zeker bang dat het kind hier opgehaald zou worden door zijn familie. Of misschien waren ze bang voor de politie. Mister Palatty had verteld dat er op het grote eiland een asfaltweg aangelegd was, die dwars door het gebied van de hiergeborenen liep. Soms kwamen de hiergeborenen naar deze weg toe. Toeristen die stopten en het raampje opendeden, kregen hoge boetes. Eten geven mocht al helemaal niet, want jouw bacteriën konden op dat eten zitten en dat volk had die bacteriën nog nooit gehad en had er geen weerstand tegen. Zo kon je door één gegeven koekje een heel gezin uitroeien. Lena begon beetje bij beetje spijt te krijgen. Hadden ze hem maar nooit uit die struiken gevist!

Loki en Sani waren nu door het dolle heen. Ze stonden te gillen en te wijzen.

'Bram,' zei mam, 'ze vinden dat Fons en Lena het kind weer terug moeten brengen.'

'Ja, dat doe ik niet, hoor! Bekijk het maar!' riep Fons. Lena deed een stapje achteruit, zij ging ook niet meer terug, klaar.

'Ja,' zei papa, 'ik denk ook: waar begín je aan? Wat moeten we hier met zo'n kind? 't Is vragen om problemen. Rustig nou maar, Loki, ik breng hem wel weer naar dat strandje terug. Maar één ding: Fons, jij gaat mee om te helpen.'

'Oké, ik ga wel,' bromde Fons nors. Hij sprong de Schelp in en papa trok de motor aan. Loki gooide het touw op het dek, hij gaf daarbij nog eens een flinke trap tegen de boot, zogenaamd om hem af te duwen.

Lena keek de Schelp niet na, ze liep als eerste de steiger af. Halverwege haalde mam haar in.

'Wat kunnen die Sani en Loki toch hysterisch doen,' mopperde ze. Lena had geen zin meer om antwoord te geven. Ze was moe. Moe van alles.

Op de veranda ging ze in de ligstoel liggen en deed haar ogen dicht. Maar niet voor lang want mam begon aan haar schouder te schudden.

'Lena, moet je nou es kijken! Sani en Loki komen helemaal niet terug, ze zijn in hun boot gesprongen. Krijg nou wat! Ze varen weg!' Lena deed haar ogen open, ze zag de boot van Sani en Loki met een enorme vaart wegscheuren alsof ze vluchtten voor een vijand.

'Ze zijn hem wéér gesmeerd, daar zal je vader blij mee zijn!' zuchtte mam.

'Ze zijn bang,' zei Lena.

'Wat een onzin, waarvoor nóú weer?' vroeg mam verontwaardigd.

'Ik weet niet,' antwoordde Lena. Natuurlijk wist ze het, maar ze had geen zin om dat uit te leggen aan mam. Die had niet in de zenuwen gezeten in de klimboom, die wist van niks. Die maakte zich nog druk over een mislukte pannenkoek.

Er was een uur voorbijgegaan, Lena liep over het strand en schopte tegen ieder steentje. Fons en papa waren nog steeds niet terug. Ze voelde zich te onrustig om iets te gaan doen. Stel dat papa en Fons daar aankwamen en dat die familie net op het strand liep? Dan zouden ze natuurlijk gauw terugvaren of naar een ander eilandje gaan. Maar misschien waren ze wel overvallen toen ze het jochie op het zand neerzetten. Moesten mam en zij niet met de speedboot gaan kijken? Nee, voor geen goud! Straks werden zij ook nog eens meegenomen. Als Papa en Fons echt niet meer terugkwamen, zouden mam en zij tenminste hulp kunnen halen.

Lena zag mam op haar af komen.

'Lena, ik heb een idee. Zullen wij met z'n tweetjes intussen naar Mabennogwat gaan? Groente halen, kijken of je mailtjes hebt, leuk toch?'

'Moeten we niet wachten tot papa en Fons...'

'Ach, dat heeft geen zin. We moeten even wat afleiding hebben.

Over twee uur zijn we allemaal weer bij elkaar.'

'Oké,' zei Lena langzaam. Mam had gelijk, even iets anders. Lena trok op de veranda haar lange broek aan, en haar moeder verzamelde tassen en manden. Even later zaten ze naast elkaar in de speedboot, hun sjaals wapperend in de wind.

Hi Lena,
Bedankt voor je mail. Wat heb jij het fijn daar, zeg. Leuk dat je schreef over je wijde broek en je wijde jurk en je sjaal. Ik heb het Hanna verteld, zij vond het hot! Wanneer stuur je nou eens foto's? Over foto's gesproken, op de schoolsite staat nu een foto van onze klas. Meteen kijken! We zijn nog met z'n allen bij elkaar. Behalve jij dan. Sorry. Ik mis je nog, maar we gaan elkaar zien van de zomer. Zeker weten.

Laatst begon mijn moeder te zeuren dat het toch wel een dure reis was. Ik schrok me rot. Ik zei, we moeten gaan sparen. Mijn vader zei: ik kan sparen door met de fiets naar kantoor te gaan i.p.v. met de auto. Dan doe ik elke dag 5 euro in een pot. Dat is 100 euro in de maand, dus als we gaan, over 6 maanden, heb ik 600 euro. En hoe ga jij sparen, vroeg hij aan mijn moeder. Ik kan minder kleren kopen, zei ze. En minder schoenen, zei mijn vader. En toen keken ze mij aan, maar ze zeiden niks, want ik krijg toch al zo weinig zakgeld.

Ik moet iets verdienen dacht ik en toen dacht ik, ik richt een hondenuitlaatservice op. En toen heb ik met Hanna een brief gemaakt en overal in de brievenbussen gedaan. Daar stond zo'n beetje in: als u om half zes moe thuiskomt uit uw werk, en uw hond is de hele dag alleen geweest, moet u snel eten koken, maar uw hond wil juist lekker een half uur rennen. Wij wonen in uw wijk en willen elke werkdag met uw hond in het park (Groene Zoom) gaan rennen. Kosten 2 euro.

Ik dacht dat is 10 euro in de week, 40 in de maand. Over 6 maanden is dat 240 euro. En als ik twee honden tegelijk neem, is dat het dubbele. En Evi wil ook meedoen en dan hebben we samen 960 euro. En als mijn moeder ook 600 spaart, dan hebben we met elkaar 2160 euro. Dan kunnen ze nooit meer terugkrabbelen. Hoe vind je die?

Nou, doei, doei.

Nelli

Hé Lena,

Hoe gaat het? Lekker zeker. Hier is het saai hoor zonder jou. Vandaag ben ik uit school meteen naar huis gegaan. Ik ben in een pestbui. Vannacht heb ik er zelfs heel lang van wakker gelegen. Moet je horen waarom. Zo'n gemene rotstreek. De juf had eerst gezegd dat ik en Floor de hoofdengelen zouden zijn. Dat is een soort hoofdrol. En nou heeft ze Clary en Tanja genomen, zie je het voor je? En waarom? Dat wou ze gewoon niet zeggen. Slap hè. Als jij hier was, dan zouden we er iets op gaan verzinnen, dan was het misschien minder erg, maar nou kan ik aan niks anders meer denken. Ik stop, ik word er alleen maar rotter van.

xxx Nelli

Hi Lena,

Even kort. Ik moet zo weg. De uitlaatservice is een succes. Hanna en haar broer Freek zijn nu ook begonnen. Maar wel in hun eigen straat, want de mensen durven hun hond niet mee te geven als je ver weg woont. Ik heb nu twee honden en Evi ook. Die mensen wilden wel eerst met mijn moeder praten. Of het te vertrouwen was en zo. Nu is het goed. Nieuwtje: de familie van Hanna gaat misschien ook mee van de zomer. Ze heeft haar ouders gek gezeurd. Het is nog niet helemaal zeker.

Oei, ik moet gaan. xxx Nelli

Lieve Nelli,

Bedankt voor je mailtjes. Ik moet ook kort zijn. Ik ben maar even in *het cafeetje. Mijn moeder is ondertussen naar een soort marktje voor groente. Daarna moeten we meteen weer terug voor iets. Ik heb net de site van school bekeken. Het lijkt of jullie er alweer ouder uitzien dan in groep zeven, maar dat kan haast niet. De foto's van mij komen er wel een keer aan. We kunnen het niet, er is iets met een snoertje. Daar is mijn moeder, ik moet weg. Goed van de hondenuitlaatservice. Is het al zeker dat Hanna ook komt? Verder gaat het héél goed. Ik geniet zo van de zon en van de zee. Het is hier nog steeds héél fijn!!!*

Liefs Lena

Mijn schuld

De avond ging bijna vallen. Met zijn vieren zaten ze onder de kokospalm en keken naar de bloedrode zon die boven het grote eiland onderging. Ze zeiden niet veel. Lena's gedachten tolden en rolden over elkaar heen in haar hoofd. Toen mam en zij vanmiddag terugkwamen, waren Fons en papa al thuis. Die hadden het jongetje met een tros bananen op het strand gezet. Daarna hadden ze vanaf een ander eilandje gekeken of hij opgehaald zou worden. Toen ze alsmaar niks zagen, waren ze naar huis gevaren. En thuis hadden ze niet begrepen waar iedereen was.

Mam had verteld dat Loki en Sani de benen hadden genomen. Lena dacht dat haar vader zijn zelfgetimmerde tafel kort en klein zou slaan van woede. Hij zei: 'Als ze morgen niet komen, moet ik vijf dagen wachten voor ik Palatty kan spreken. Wéér een week naar de haaien, ik word er doodziek van!'

De zon was al half weggezakt, de eerste vleermuizen begonnen aan hun duikvluchten. Steeds weer moest Lena aan het zielige kind denken. Bij hém werd het nu ook donker. Zou hij er nog zitten?

'Ik weet zeker dat ze het kind gaan zoeken,' zei mam alsof ze Lena's gedachten kon raden. 'Ze doen het júíst als het een beetje donker is en ze niet gezien worden.'

'Ik weet het niet,' zei Lena somber.

'Bram, beloof jij Lena nou es dat je morgenochtend gaat kijken. Als hij er nog zit, varen we meteen naar Mabennogwat en bespreken het met mevrouw Roosje. Die kan de politie waarschuwen.'

'Ja, ja, goed, goed,' antwoordde papa wazig. Lena zag dat hij met zijn hoofd bij de minigraver was en hoe dat moest als Sani en Loki morgen niet terug zouden komen. Hij had gezegd dat Fons hem dan maar moest helpen. Dat vond Fons niet eens zo erg. Door die minigraver natuurlijk. En daarom zat Fons nu tevreden voor zich uit te kijken. Hij dacht zeker, nou heb ik lekker geen tijd meer voor die stomme Wereldschool.

Mam begon de borden op te stapelen. Ze vroeg: 'Nemen jullie ook wat mee?' en liep naar het huis. Papa, Fons en Lena kwamen haar langzaam achterna.

Het was nacht. Zoals gewoonlijk was het heet onder het muskietennet. Lena lag te woelen en te worstelen met haar witte laken. Ze had wel even geslapen, maar was nu toch weer wakker. Nog steeds had ze een zenuwachtig gevoel in haar buik. Dat was begonnen in de klimboom, daar was ze zó verschrikkelijk bang geweest dat het trillen in haar buik niet meer overging.

Mam had gezegd dat het kind vast wel opgehaald zou worden. Ja, om Lena gerust te stellen natuurlijk. Maar Sani en Loki waren niet voor niets weggevaren, er dreigde gevaar. Lena probeerde te bedenken wat dat kon zijn. Als dat kind nou eens vertelde dat hij ontvoerd was door twee witte kinderen? En als die familie nou eens kwaad werd en wraak ging nemen? Bijvoorbeeld door met z'n allen Lena's huis aan te vallen, midden in de nacht?

Door twee dunne deuren heen hoorde ze haar vader snurken. Fons lag erbij als een slappe dooie pop met dichte ogen. Was zij dan de enige die zich zorgen maakte?

Opeens hoorde ze een doffe dreun op de veranda. En geschuifel. Waren het weer die klierende apen, of de krabben? Ze ging rechtop zitten en spitste haar oren. Nu leek het wel of ze stemmen hoorde. Het zweet stroomde in haar nek. Of was het toch haar vader met zijn geronk? Het duurde lang voor ze weer een geluidje hoorde. Nee, ze moest zich niet gek laten maken. Als die mensen hadden willen aanvallen, dan was het allang gebeurd. Eén duwtje tegen het gaas van de ramen en ze waren binnen.

'Laat er niets gebeuren, laat er niets gebeuren,' herhaalde ze in zichzelf.

Na een tijdje voelde ze dat ze in slaap ging vallen. 'Er gebeurt niets, er gebeurt niets, er...'

Zoals elke morgen werd ze stipt om zes uur wakker. Ze bleef nog even liggen. Op haar rug met haar handen onder haar hoofd. Het heldere licht in de kamer maakte haar loom en rustig. Gek, de zon verjoeg in één klap al je griezelgedachten van de nacht. In de kamer van haar ouders hoorde ze zacht praten en stommelen, het vertrouwde ochtendgeluid.

Ze besefte nog niet meteen dat het andere vertrouwde ochtendgeluid deze keer ontbrak, namelijk het brommen van Loki's buitenboordmotor. Dat kreeg ze pas door toen ze haar vader in de keuken hoorde vloeken.

Lena wipte meteen haar bed uit en liep tegelijk met mam de keuken in.

'Ze zijn niet komen opdagen!' zei papa kwaad.

'Ach Bram, dat wisten we toch wel,' zei mam. 'Ga jij deze week nou maar met Fons aan de slag. Die vindt het nog leuk ook.'

'Loki zou elke dag wat cement meenemen. Daar raken we nu óók mee achterop.'

'Ze kunnen het toch later in één keer brengen?' zei Lena.

'Nee, daar is het te zwaar voor.' Haar vader zag het niet meer zitten, dat was duidelijk.

'Kom, laten we eerst lekker ontbijten.' Mam gooide de deur naar de veranda open. 'Lena haal jij even water, dan maak ik vuur.'

Lena wilde net het trapje af gaan toen haar moeder een hoge gil gaf.

'Wat is er, wat is er?' vroeg Lena. Mam stond dubbelgeklapt met haar ene hand voor haar mond en haar andere wijzend naar de steiger.

Lena sloeg haar ogen op. Die steiger stond fier in de zee als een rots in de branding, daar was niks mis mee. Wat bedoelde mam toch?

Het duurde een paar seconden voor ze het zag: aan de steiger lag geen één boot. Niet die van Loki, maar ook niet die van hen! De Schelp en de speedboot, ze waren allebei verdwenen. Weg.

'O, o, wat erg, o, o, wat een drama! Ik word er niet goed van! Ga jij het maar aan papa vertellen,' jammerde mam.

'Nee hoor, dat doe ik niet,' zei Lena. Ze dacht, als hij naar buiten komt ziet hij het vanzelf. Mam liet zich naast het fornuis in het zand vallen.

'Wat een ramp, Lenaatje, wat een ramp! Wie kan dat nou gedaan hebben?'

'Het kind,' zei Lena zacht. 'We hadden hem niet mee naar huis moeten nemen.'

Mam zei niets meer, ze lag als een aangeschoten konijn op de grond, met haar wang in het zand en haar armen uitgespreid.

'tIs míjn schuld, dacht Lena, míjn schuld. Fons had niet terug willen varen naar het kind op het strand, maar zíj had hem overgehaald. Het was helemaal háár schuld dat die familie dacht dat hun zoontje was gepikt. Die mensen waren natuurlijk kwaad geworden en hadden hun twee boten gestolen. En misschien was dit nog maar het begin, wat zouden ze nog méér gaan doen? Om het huis heen sluipen, of...

Ze keek naar de veranda. De deur ging open en haar vader kwam tevoorschijn. Hij kromde zijn rug en legde zijn ellebogen over de leuning. Met de bedoeling om over zee uit te kijken. Heel even gebeurde er niets, toen begon hij te brullen als een stier, of als een wolf. Net wat Lena had gedacht.

Lena's schrift

Hoop, schreef Lena op. *Eerst heb je hoop, als dat niet is uitgekomen ga je iets nieuws verzinnen en daarna ga je weer verder met hopen. Maar dat is weer een andere hoop, een ietsje mindere hoop. Wat je níét hoopt houd je voor jezelf, daar praat je niet over, anders stort iedereen in en dan heb je wanhoop.*

'Ik hoop dat ze de boten vannacht terugbrengen,' zei Fons op de eerste dag.

'Ik hoop dat Loki en Sani morgen weer komen, ze hebben uiteindelijk geld nodig,' zei papa op de eerste dag.

'Ik hoop dat ze onze witte vlag zien,' zei mam op de tweede dag, toen ze een wit laken had genaaid om een lange stok. Waarmee ze zwaaiden als ze in de verte een boot zagen.

'Ik hoop dat ze een verrekijker in Mabennogwat hebben,' zei Fons op de derde dag.

'Ik hoop dat mister Palatty zondag Sani en Loki spreekt, en dat hij dan hierheen komt,' zei mam op de vierde dag.

'Ik hoop dat het niet te lang duurt,' zei papa op de vijfde dag, 'want er is nog maar voor één week benzine voor de generator, de motorzaag en de minigraver.'

'Ik hoop dat ik iets vang zonder boot,' zei Fons op de zesde dag, toen mam hem met een soort garnalennet naar de slibgeulen stuurde. Want het vlees was op.

'Ik hoop dat die graten niet in onze keel blijven steken,' zei papa op de zevende dag, 'want dan zijn we écht de pineut. Beseffen jullie dat?'

Hadden we maar, schreef Lena een paar dagen later. *Hadden we maar, daar heb je niks aan, dat zeg je als het al te laat is.*

'Hadden we nou tóch maar die dure GPS-installatie gekocht die ze op de zeeschepen gebruiken, dan hadden we nu gewoon kunnen telefoneren,' zei papa op de achtste dag.

'Had ik nou maar die grote blikken gekocht,' snikte mam op de negende dag, toen er nog maar een klein laagje olie in de fles zat. 'Nou kan ik niks meer wokken!'

'Hadden we nou Loki maar gevraagd waar hij die bessen had gevonden,' zei papa op de tiende dag, toen de groenten en vruchten definitief op waren.

'Hadden we nou toch maar kippen genomen,' zei mam op de elfde dag, toen de eieren op waren.

'Hadden we nou mister Palatty maar gevraagd hoe je die eetbare schelpen moet vinden onder het zand,' zei Fons op de twaalfde dag toen hij voor het eerst de vieze aangebrande koeken op had. Mam had ze gemaakt van water en meel, en daarna boven het vuur geroosterd. Dit was voortaan hun zogenaamde brood.

'Fons, had jij nou maar geleerd hoe je in die palm moet klimmen,' zei papa op de dertiende dag. 'Daarboven hangt heerlijke kokosmelk, 't is om te huilen!'

Op is erg, schreef Lena. *Vroeger wás er nooit iets op, vroeger rááktte er iets op. Voor het zover was, kocht je gauw iets bij.*

'Jongens, het laatste druppeltje benzine is de generator ingegaan,' deelde papa mee op de veertiende dag, die voorbijging zonder een schip aan de horizon. 'De elektrische boor is nu ook finito! Afijn, de motorzaag deed het toch al niet meer. Ik blijf onder de boom liggen, ik geef het op!'

Fons en Lena zagen het ook niet meer zitten nu de computerspelletjes niet meer opgeladen konden worden. En nu ze 's avonds niet meer konden lezen omdat de olielampen met hun laatste restje olie in de kast bleven voor noodgevallen. Overdag hingen ze net als hun ouders sloom in een ligstoel zonder veel te zeggen.

'Dit is de laatste keer dat we rijst eten,' zei mam op de vijftiende dag. 'Er is geen korrel meer in huis.' Later kwamen de eieren aan de beurt, de aanmaaklimonade, de suiker, de koffie, de macaroni, het wc-papier en, heel afschuwelijk, de jeukzalf.

Als je bang bent ga je grappen maken. Als je honger hebt ga je over eten praten, schreef Lena. Door alle ellende raakte haar schrift behoorlijk vol.

'Oehoe, er is thee!' riep mam op de zestiende dag. Papa kwam aangelopen en begon te zingen. 'Schuitje varen, theetje drinken.'

'Wie lust er een lekker sliptongetje?' vroeg Fons op de zeventiende dag, toen hij een paar graterige visjes uit de slibgeul had geschept.

'Ik,' zei mam, 'als er tenminste bearnaisesaus bij is en gebakken aardappeltjes.'

'Wat ging je ook alweer op die website schrijven, Jilletje? Het rijk alleen? Eén met de natuur?' vroeg papa op de achttiende dag.

'Mooie kleur toiletpapier,' zei papa toen hij van de wc af kwam. Mam en Lena hadden keurige rolletjes gemaakt van groene boombladeren.

'En nu zou ik een softijs willen en patat,' zei Fons op de negentiende dag. 'En ik een lekkerbekkie,' riep papa. 'En ik een witte boterham met kaas en een reep chocola,' zei mam. 'En ik drop en chips,' zei Lena.

'Vandaag... is het trouwens sinterklaasavond,' fluisterde mam.

'Zie ginds komt de stoomboot,' zei papa.

Mabennogwat

Op de twintigste dag begon het te regenen. Ze zaten opgesloten in de kleine keuken en aten havermout geroerd in water. Koud water, want buiten kon je nu geen vuur maken. Niemand zei iets, ze dachten allemaal aan vannacht. Wat er gebeurd was.

Lena en Fons waren midden in de nacht wakker geschrokken. Niet van de gewone sluip- en snuffelgeluiden op de veranda. Nee, van hun moeder, die hartverscheurend aan het huilen was in de andere slaapkamer. En dat was raar en eng, want mam was juist de enige die de moed erin hield. Soms wapperde ze lachend met haar meeuwenvleugels om op te stijgen in de richting van het vasteland. Of ze zei: 'In het winkeltje krijgen ze heus wel in de gaten dat we wegblijven. Op een goeie dag komen ze hier een kijkje nemen, let op m'n woorden!'

Lena en Fons hadden hun kamer niet uitgedurfd. Later, toen het gehuil over was, had Lena geen oog meer dichtgedaan. Hoe moest het nou verder als zelfs mam het opgaf? Waren ze verloren? Zouden ze niet gered worden? Moesten ze aap gaan eten zoals Fons had voorgesteld?

Door het gedruppel op het dak hadden ze de boot niet gehoord. Ineens dook er vanuit het regengordijn een man op. Een man onder een grote paraplu, tevoorschijn getoverd als een haas uit een hoed: mister Palatty!

Voordat ze het wisten stond hij tussen de havermoutborden en mams rode huilogen. Lena begon te trillen van opluchting. Het was voorbij! Ze waren gered!

De eerste die woorden kon vinden was haar vader. Hij probeerde zich groot te houden, zag Lena.

'Aha, het is zondag, dat is waar ook! Welkom, mister Palatty!'

Maar mam deed niet mee met normaal doen, ze stond op en stortte zich brullend in de armen van mister Palatty. En toen begon Lena ook maar te huilen. Naast haar hoorde ze Fons zacht snuffen.

'Wat is hier gebeurd? Wat is hier gebeurd?' gilde mister Palatty. 'Waar zijn jullie boten in vredesnaam?'

'Jill, vertel jij het hele verhaal maar,' zei papa. 'Ik stuntel toch maar in het Engels volgens jou.'

'Ja, dat is zo,' hikte mam. Ze droogde haar tranen af aan de theedoek en bood mister Palatty beleefd een kopje koud water aan. Toen begon ze.

'Het is wat!' Mister Palatty had eindelijk zijn mond opengedaan. Tot nu toe had hij alleen maar knikjes met zijn hoofd gegeven terwijl mam het verhaal drie keer vertelde.

'Is dat alles wat u te zeggen hebt?' gilde mam. 'Wist u ervan dat die vreemde stam hier op ons eiland rondbanjert?'

‘Nou, vreemde stam zou ik het niet noemen,’ zei mister Palatty met een flauw glimlachje om zijn mond. ‘Die vreemde stam zijn jullie.’

‘Zie je wel, u wist het! Ik zie het aan uw ogen! U wist dat die mensen hier kwamen en u hebt het eiland tóch aan ons verkocht! Zonder iets te zeggen! Dáárom is die Engelsman natuurlijk vertrokken!’ Mam trilde van kwaadheid.

‘Rustig, rustig nou maar,’ zei mister Palatty. ‘Het is bekend dat er af en toe mensen van die stam oversteken naar de kleine eilandjes om wat kokosnoten te verzamelen en zo. Maar ze laten zich nooit zien, ze varen nog in het eerste ochtendlicht terug. Je moet je daar niet druk over maken. Dat héb je nou eenmaal in deze streken. Als je ze met rust laat, heb je nergens last van.’

‘Dus volgens u hebben zij onze boten niet gepikt?’ vroeg mam met een kwaad gezicht.

‘Dat zeg ik niet,’ zei mister Palatty rustig. ‘Het kan zijn dat hun gebruiken voorschrijven: als jij iets pikt, pik ik iets terug.’

Er viel even een stilte. Het kind, dacht Lena, zie je wel. Nog geen enkele keer hadden haar ouders haar de schuld gegeven. Maar door de woorden van mister Palatty begon haar buikpijn weer op te zetten.

‘Hebben jullie daarna nog iets van ze gemerkt?’ ging mister Palatty luchtig door.

‘Nee,’ zei mam.

‘Aha, dan zal het daar wel bij blijven. Alleen, die boten zie je niet meer terug. Ze roeien ermee hun rivieren op. En die rivieren gaan weer over in kleine riviertjes diep het oerwoud in. Daar mogen wij niet komen. Zij moeten het wel gedaan hebben, want niemand van ons zou jullie boot stelen. Dat heeft geen nut, iedereen hier kent de Schelp en de speedboot.’

‘Hadden we ze nou maar vastgelegd met een slot,’ zuchtte papa.

'Ja, maar je moet er niet aan denken wat ze dán gedaan zouden hebben,' zei mister Palatty. Hij dronk beleefd zijn water op en ging staan.

'Zo, en nu gaan jullie voor een paar dagen met mij mee. Moet je eens zien hoe jullie eruitzien. Als slappe sla! Ik zal mijn vrouw vragen of ze een stevig maaltje wil bereiden, daarna zien we wel verder. Vooruit, sta niet zo suf te kijken, pak je kleren bij elkaar en kom mee!'

Het was donker, Lena liet zich op haar luchtbed vallen en bleef met open ogen liggen. De rest van de familie zat nog in de tuin te praten. Aan een tafel met kleine kaarsjes erop.

Ze waren opnieuw in het huis van mevrouw Roosje beland. Alsof ze thuisgekomen waren. Met hangende pootjes, dat wel, maar toch thuis! Hier bij mevrouw Roosje voelde Lena zich fijn en rustig.

Vandaag waren ze de hele dag bij mister Palatty geweest. Eerst hadden ze heerlijk gegeten en warm gedoucht. Daarna hadden de grote mensen aan één stuk door gepraat. Lena had een poosje met de kleine Palattykinderen gespeeld en Fons had sloom in een stoel gehangen. Later mochten ze samen het dorp in om hun mails te bekijken.

Lena had zich een beetje verlegen gevoeld toen ze de mevrouw van het cafeetje weer zag. Maar de vrouw deed net of het normaal was dat ze drie weken niet geweest waren. Ze lachte en schonk thee in zoals altijd.

Er waren heel veel mailtjes, maar niet zoveel als Lena gedacht had. Dat kwam omdat ze drie weken niet teruggeschreven had. Van Nelli waren er twee. Ze gingen nog steeds over het kerstspel. En over sinterklaas en de cadeaus en dat ze op de fiets had overgegeven omdat ze een zak pepernoten in één keer opgegeten had.

Voor het eerst had Lena geen puf om te antwoorden. Wat moest ze schrijven? Fijn, dat je twee chocoladeletters hebt gekregen? Wat erg dat je geen hoofdengel mag zijn? De wereld van Nelli was te ver weg geraakt. Nelli's verhalen begonnen te lijken op de verhalen van de meester vroeger, over vreemde gewoontes in verre landen waarvan je dacht: het zal wel.

En de wereld van Lena viel bijna niet meer uit te leggen. Er was geen beginnen aan. Hoe moest ze dat doen? Bekennen dat ze gelogen had over het restaurant? En dan schrijven over het gevonden kind, de vreemde stam, de gestolen boten, de weggelopen werkmannen, de halve kuil, de schuld, de honger, de jeuk, de verveling, de angst? Nee, ze kon het niet. Maar het móést ook niet, want als Nelli dit doorvertelde – en Nelli vertelde altijd alles door – dan zou er geen kip komen van de zomer. En dát zou dan weer Lena's schuld zijn...

Toen Lena en Fons weer terugkwamen bij de Palatty's, had papa verteld wat er intussen was afgesproken.

Omdat er geen geld was voor een nieuwe boot, moest papa dat eerst ergens gaan verdienen. Gelukkig kon mister Palatty nog wel een timmerman gebruiken bij de bouw van het grote hotel. Papa zou voor een maand mee naar de hoofdstad gaan, meteen morgen al. Mam, Fons en Lena zouden al die tijd bij mevrouw Roosje gaan logeren.

Mevrouw Roosje was blij, want mam kon haar mooi helpen met het naaien van schooluniformen. De school had juist stof gekocht. Die wilde alle dertig kinderen in dezelfde bloesjes, rokjes en broeken gaan steken.

Met mevrouw Roosje was afgesproken dat Lena en Fons elke middag een uur naar het schooltje zouden gaan om Indiaas te leren. En mam zou deze weken gebruiken om een website te laten maken van hun eiland. Dat was nodig om gasten te lokken voor de zomer. Dat zou ze doen in het cafeetje samen met een buurjongen van mevrouw Roosje. Die heette Milan en had er verstand van.

'Zonder website geen gasten,' was de lijfspreuk van mam.

'Maar dan moet je toch foto's hebben van het restaurant en de hutten?' had Lena gevraagd.

'Ach, die halen we wel ergens anders vandaan en die plakken we gewoon op ons eiland, dat is een fluitje van een cent, dat zou Fons nog wel kunnen. Als alles klaar is van de zomer maak ik wel échte foto's, dat heeft niemand door.'

Mam geloofde nog steeds dat de hele mikmak er in de zomer stond. Lena niet, Lena helemáál niet...

Aan het eind van de middag moesten ze allemaal opschrijven wat ze nog van het eiland wilden hebben, en dat waren mister Palatty en papa gaan ophalen met de boot.

En nu lag Lena hier op haar luchtbed in de kamer van Fatik. Haar vader had ze al gedag gezegd. Die zou morgen heel vroeg vertrekken met het vliegtuigje. Ze haalde diep adem, ze voelde zich veilig en blij. Blij dat ze gered waren, dat de honger voorbij was en de angst en de verveling. Mocht dat wel, blij zijn? Het was toch erg wat er gebeurd was? Door haar schuld moest papa nu gaan werken om een boot te kopen. En kon er zeker een maand niet gebouwd worden op hun eiland...

Droomeiland

Hi Nelli,
Eindelijk schrijf ik weer. Ik heb het druk gehad. Nu logeer ik met Fons en mijn moeder een tijdje op het vasteland. Bij een hele lieve mevrouw Roosje. Daar had ik wel eens over geschreven. Om Indiaas te leren. Fons en ik gaan elke dag naar haar schooltje. De school is dan al uit en wij zitten bij de kinderen die bijles krijgen. Ze lachen ons uit als we hardop praten. We kunnen al een paar dingen zeggen, maar het is heel moeilijk. De taal heet Hindi. Fons wil er alweer mee kappen. Er is op die school één meisje dat een beetje Engels kan. Mevrouw Roosje wil dat ik vriendin met haar word, maar ik wil nog niet.

Mijn moeder helpt met schooluniformen naaien, groen met witte bloesjes. Alleen hebben ze er geen schoenen onder. Mijn moeder is ook bezig met de website van ons eiland. Nou ja, iemand anders maakt hem en zij zegt wat ze erin wil hebben. Als hij af is, kunnen de gasten zich inschrijven. En jij bent de eerste. Ze heeft het eiland nu ook een naam gegeven, 'Droomeiland'. Want als je het ziet, denk je dat je droomt.

Nou doeidoei, ik moet huiswerk doen.

Lena

Hoi Lena,

Geeft niet dat je zo lang niet geschreven hebt. Raar hoor dat je een andere taal gaat spreken. Het lijkt net of je dan iemand anders wordt.

Vorige week was ik jarig en weet je waar mijn feestje was? Bij jouw oma in de bollenschuur. Dat kwam omdat ik wou schatgraven in het witte zand achter de schuur net als op jouw verjaardag. Ik had het gevraagd aan oma en het mocht. Ik zeg nou ook oma, dat vindt ze fijn. Toen mijn moeder kwam om de cadeautjes te verstoppen onder het zand zei oma dat de rest van het feest ook wel in de schuur mocht. We hebben de lange tafel weer neergezet net als bij jou en we hebben de luiken niet opengedaan maar heel veel slingers van lampjes opgehangen.

Het feestje was heel leuk. De jongens waren er ook bij en we hadden hele goeie muziek en pizza's en we hebben op het laatst ook gedanst. En toen kwam ome Bing er nog even bij en ik wilde met hem dansen maar toen ging hij gauw weg.

Het was wel stom, mijn moeder had de cadeautjes veel te diep begraven, maar dat wisten we niet en we hadden alleen de lepels van oma om te graven. Nou ja, het duurde heel lang en toen we niks vonden, vonden we er niks meer aan. We hebben weer diefje gedaan in de schuur en dat was nog het leukst. De nieuwe jongen uit onze klas heet Evert en die was er ook bij en die zei dat dit het leukste feestje was van zijn leven. Nou zijn er nog twee cadeautjes niet gevonden en die hebben we laten zitten.

Leuke naam Droomeiland, ik zal over een tijdje kijken of de website klaar is. Nou dag, Hanna komt mij halen. Ik heb een plan bedacht, daar gaan we samen aan werken.

xxx Nelli

Hi Nelli,
Gaat het goed? Sorry dat ik zo lang gewacht heb met antwoorden. En ook sorry dat ik je verjaardag vergeten was. Hier is alles zo anders, ik weet vaak niet eens welke dag het is of welke maand. Ik woon nog steeds bij mevrouw Roosje, maar de rest van mijn familie zit weer op ons eiland. Fons had het helemaal gehad met Indiaas leren, hij helpt liever mee met de bouw. Ik wou nog niet terug en mocht hier blijven.

Ik heb nu ook een vriendin hier, Dhara. Ze spreekt een beetje Engels. Het is anders dan met jou. Zij is heel verlegen en ik ook. Ze heeft thuis geen stoelen. Verder weet ik niks te zeggen. De tijd vliegt voorbij. Het is heel warm en ik ga hier laat naar bed.
Groetjes, Lena

Ja, het was waar, de tijd vloog voorbij. Het was intussen eind februari en Lena logeerde nog steeds bij mevrouw Roosje. Ze vond Indiaas leren leuk en ook het spelen 's avonds met Dhara. Elke ochtend ging ze naar het cafeetje om te computeren en af en toe mocht ze mee naar het schooltje om bij de kleintjes te helpen. Hier was het in ieder geval beter uit te houden dan op het eiland waar niks te doen was, hier had je minder tijd om te piekeren.

Alleen, elke keer als Nelli gemaild had kwam de heimwee weer opzetten. Zodra ze de naam 'Nelli' zag, begon de buikpijn al. Het vervelende was dat Nelli altijd razendsnel antwoord gaf. Daarom wachtte Lena expres heel lang met schrijven, zogenaamd omdat ze het te druk had.

Om de paar dagen kwam mam 's morgens om tien uur met de

nieuwe boot naar de haven. Soms praatten ze wat en ging mam meteen weer terug, soms gingen ze samen naar het cafeetje of de markt. Op donderdag gingen ze altijd oma bellen bij mevrouw Palatty.

Daarvóór hadden ze steeds in het zogenaamde postkantoor gebeld, dat was een donker kamertje in een klein huis. Maar zodra ze daar binnen stonden stroomde het vol met nieuwsgierige mensen die hun mond niet hielden. De telefoon stond op de toonbank en je moest gillen in de hoorn en je kon oma bijna niet verstaan. Bovendien kon je de vliegen bijna niet van je gezicht vegen omdat de mensen tegen je aan duwden.

Bij mevrouw Palatty was het tenminste rustig. Eerst moesten ze dan natuurlijk theedrinken, wat niet zo leuk was omdat ze elkaar niet konden verstaan. Gelukkig kon Lena nu wel gedag zeggen en 'lekker' en 'dankuwel' en zo. Vaak deed de elektriciteit het niet en dan gingen ze na de thee weer weg. Als ze gingen bellen, hield mevrouw Palatty de tijd bij en schreef het op in een schrift. Heel lang belden ze trouwens niet met oma. Mam hoorde je steeds 'ja ma, alles goed, alles goed' zeggen en als Lena aan de beurt was wist ze ook niet veel te verzinnen.

Diep in haar hart zag ze er tegenop om oma te spreken. Soms kon je aan oma's stem horen dat ze zielig alleen was, daar kon Lena totaal niet tegen. Ze zou zó wel in oma's armen willen vliegen om haar te troosten. En aan de andere kant, als oma vrolijke verhalen vertelde over het enveloppen maken en de kinderen in de bollenschuur, dan voelde Lena zich juist weer zielig alleen. Hoe dan ook, ze ging altijd de deur uit met een grote steen in haar maag.

Elke zaterdag moest Lena heel vroeg aan de haven staan en haalde papa haar op voor het weekend thuis. Uiteindelijk had papa zeven weken in de hoofdstad moeten werken om de boot te kunnen kopen. Die was oud en blauw en had de naam '14'.

Loki en Sani waren gelukkig teruggekomen. Maar het werk schoot nog steeds niet erg op. Omdat de 14 te klein was om spullen voor de bouw te vervoeren, moest papa wachten tot Loki iets meenam en ze begrepen elkaar steeds verkeerd. In de kuil lag nu een cementen vloer met ijzeren staken. Het restaurant met overdekt terras en hekjes van houtsnijwerk, zoals Lena dat verzonnen had, stond er nog steeds niet.

Wel stond hij kant en klaar op de foto van hun nieuwe website. Precies op de plek van de kuil onder de kokospalmen. Ook stonden er twee hutten op de foto's. Met trapjes en vlonders en parasols en een uitgehakt weggetje door de bosjes. Milan had de plaatjes van internet geplukt en op hun eigen eilandfoto's geplakt. Hij had erg zijn best gedaan. In twee talen stond erbij geschreven:

DROOMEILAND

Heeft u ook genoeg van die enorme hotels met vele verdiepingen?
Bent u al die luxe beu? Die luxe die u thuis ook al heeft?
Verlangt u naar iets heel anders? Verlangt u terug naar de natuur?
En toch helemaal verzorgd?
Dan is ons paradijselijke eiland iets voor u. Wij halen u af van het vliegveld en vervoeren u erheen met een klein vliegtuig en een boot.
Wij bieden aan: uw eigen hut op het strand, eenvoud en stilte, het zachte geruis van de palmen, een indrukwekkende sterrenhemel, water halen uit de bron, eenvoudige, goede maaltijden in het restaurant, zwemmen, snorkelen, opgehaald worden voor een duikavontuur, exotische dieren in het woud.

Op een volgende pagina kon je op een agenda zien of er nog plaats was. Rode hokjes betekende: bezet, en blauwe hokjes: vrij. Er was een formulier bij om je vakantie te boeken. Als dat formulier per mail ingevuld terugkwam, moest mam het woordje 'akkoord' aanvinken en ging de mail automatisch weer terug. Daarna hoefde ze alleen maar de juiste hokjes rood te maken. Milan had alles zo makkelijk mogelijk gemaakt voor haar. Zijn telefoonnummer stond er ook bij voor het geval de mensen inlichtingen wilden. Pas als het restaurant klaar was en misschien een eerste hut, wilde mam alle kennissen op de hoogte brengen van de website.

Gelukkig maar, want telkens als Lena de site opende en zag wat niet echt bestond, schaamde ze zich.

Nelli's verrassing

Het was vroeg en toch al heel warm. Lena liep sloffend over het stoffige zandpad. De munten voor de mevrouw van het cafeetje rammelden in de zak van haar wijde broek. Af en toe liep er iemand langs haar heen en lachte naar haar. Ze werd gelukkig niet meer zo nagekeken als in het begin.

Deze ochtend ging ze iets doen waar ze geen zin in had: Nelli mailen. Het móést nu wel, de vorige mail van Nelli was al van drie weken geleden. Ze zag er tegenop want ze had zich weer eens in de nesten gewerkt.

Mam had gezegd: 'Jongens, vertel onze kennissen alsjeblieft nog niet van de website. Eerst wil ik zeker zijn dat we ze hier kunnen ontvangen, eerst moeten er een paar gebouwen af zijn.' Maar Lena had per ongeluk toch de naam 'Droomeiland' aan Nelli verklapt. En nu – Lena had het kunnen weten – had Nelli de website gevonden en moest Lena antwoord geven op al haar nieuwsgierige vragen. Daarbij kwam dat Nelli natuurlijk alles doorkletste, maar dáár durfde Lena niet over na te denken.

Bij het cafeetje gaf ze de hond een aai over de kop en knikte de vrouw gedag. Ze las nog één keer die laatste mail van Nelli. Er was gelukkig geen nieuwe bij gekomen.

Hoi Lena,

Leuk dat je nu een vriendin hebt. Maar je vertelt er haast niks over. Je zegt 'verder weet ik niks te vertellen' nou stik ik van de vragen natuurlijk. Ik zal ze opschrijven dan is het makkelijker voor jou. Kun je daar nog op antwoorden of is het daar te warm voor of zo?

Waarom is ze zo verlegen en jij ook? Hoe ziet ze eruit? Heeft ze ook zo'n uniform aan? Loopt ze op blote voeten? Als ze geen stoelen hebben, wat hebben ze dan wel? Eten ze op de grond? Wat doen jullie samen? In welke klas zit ze? Gaan jullie volgend jaar naar dezelfde school? Is het leuker met haar of met mij?

Als ik in de zomer kom, kan ik haar dan ook eens zien en haar huis zonder stoelen?

Hè, hè, ik hou op.

Hier is alles oké. Hanna en ik zijn met iets heel leuks begonnen. Bij de ponyboerderij hadden ze zeven jonge poesjes en die wouden ze naar het asiel brengen en toen heb ik gezegd 'wacht nou maar, ik weet wel wat'. En toen heb ik foto's van die jonkies gemaakt en nou gaan wij elke avond na het eten met die poezenfoto's langs de deur. We bellen gewoon overal aan. Als de mensen die lieve snuitjes zien gaan ze nadenken. We zijn er al twee kwijt. We zeggen ook dat we van de hondenuitlaatservice zijn. Jammer dat jij niet mee kan doen. Ik heb ook nog een plan met de pony's, maar dat vertel ik de volgende keer.

Hoe gaat het op Droomeiland? Ik heb de website opgezocht, super zeg! Alleen zag ik maar twee hutten staan. Zijn die andere twee nou

nóg niet af? Wat duurt dat lang. Hé Lena, je mag lekker al mijn vragen beantwoorden. Heel veel liefs van mij.
Nelli

Lena zuchtte toen ze de laatste zinnen weer zag. Ze moest er nu wel antwoord op geven, anders zou Nelli eindeloos blijven doordrammen. Uitstellen had totaal geen zin. Ze nam een slok thee en een teug adem en begon maar dapper te typen.

Hoi Nelli,
Eindelijk kan ik je terugschrijven. Ik heb het heel druk gehad. Ik zit nog steeds bij mevrouw Roosje. Leuk van de poezenfoto's. Hebben alle poezen nu een baasje? Ik zal je vragen beantwoorden.

Dhara is verlegen omdat ze niet goed weet wat ik leuk vind. En ik ben verlegen omdat ik niet weet wat zij leuk vindt. Als je hier bent zul je dat wel snappen. Iedereen doet hier verlegen, mijn moeder ook, bijvoorbeeld in de winkeltjes.

Dhara ziet er heel mooi uit, ze is bruin met lang zwart haar. Het zit meestal in een vlecht want het is hier te heet voor los. Ze heeft altijd slippers aan, net als alle mensen hier. Ik loop ook op slippers. Niemand draagt nog de uniformen op school. Dhara heeft bijna altijd gebloemde kleren aan en meestal een roze sjaal.

Ja, ze eten op de grond. Ze zitten aan een lage tafel met bladen met het eten erop. Je mag alles kiezen wat je lekker vindt. Je pakt het gewoon met je hand. Het moet met je rechterhand. Ze hebben wel lepels, maar daarmee scheppen ze het alleen op de schaal. Dhara mag ook de hele dag door eten als ze wil.

Wat doen we samen? Alleen maar een beetje lachen. Zij spreekt niet zo goed Engels, dus we kunnen niet zo veel zeggen. Dat Engels heeft ze van haar vader geleerd, die heeft vroeger in een hotel gewerkt. Ze heeft geen computer, ook geen tv. We zitten altijd bij haar op bed en kijken een beetje naar haar tekeningen. Zij tekent jurken en zo. Ze weet nog niet of ze volgend jaar naar de middelbare school mag. Als er geen geld voor is moet ze haar moeder helpen, die verkoopt koeken op de markt.

Met jou is het natuurlijk leuker, hihihi, dat wist je toch wel?

Op het eiland gaat het goed. De laatste twee hutten zijn nog niet af, daar zijn ze nu druk mee bezig. Nou ben ik moe van alle vragen beantwoorden.

xxx Lena

Ziezo, dat was dat. Lena schoof haar kruk naar achteren. Ze bracht haar theeglaasje naar de bar en gaf de munten aan de mevrouw. Terwijl ze naar buiten liep zei ze 'dank u wel' op zijn Indiaas.

De volgende morgen was er nog geen antwoord van Nelli. De dag daarop ook niet. Er ging een week voorbij, en toen nog een. Vreemd, niks voor Nelli, zou ze op vakantie zijn? Was het daar soms voorjaar of zo?

Diep in haar hart vond Lena het niet zo erg. Want nu hoefde ze al twee weken lang geen vervelende vragen over de hutten te beantwoorden. En intussen kon papa lekker verder bouwen aan het restaurant. De betonnen vloeren waren al klaar en ze waren druk planken aan het zagen van het mangrovehout voor de muren.

Er ging weer een week voorbij. En toen, eindelijk, liet Nelli iets van zich horen. Het was maar een kort berichtje.

Hoi Lena,

Tijd niet geschreven. Dat had te maken met mijn plan. Ik heb er hard voor moeten knokken, maar het is me gelukt. Open de mailbox van Droomeiland maar. Verrassing! Voor jullie!

xxx Nelli

Lena moest lachen. Die Nelli weer met haar plannetjes! De vrouw van het cafeetje kwam met een glas thee aan en lachte mee. Maar terwijl Lena het wachtwoord 'deschelp' van Droomeiland intoetste, kreeg ze plotseling een benauwd voorgevoel...

Vier mailtjes vond ze, vier ingevulde formulieren, van vier gezinnen die een vakantie op Droomeiland hadden geboekt, allemaal in dezelfde periode van 2 tot 23 juli. Op touw gezet door Nelli, dat stond als een paal boven water.

Lena keek verslagen naar de namen en de adressen. Twee families Wilson, dat waren Nelli en Evi met hun ouders, en Nelli's oom en tante met de drie neefjes. Die neefjes kende Lena wel, van de verjaardagsfeestjes. Verder de familie Wessels met Hanna en haar zus. En dan een gezin waar Lena nog nooit van gehoord had, ene familie Gartman met twee jongens, August en Werner.

Lang bleef Lena naar het scherm staren. Wat nu? Wat moest ze nu weer doen? Het zweet brak haar uit en haar gedachten tolden door haar hoofd als een op hol geslagen draaimolen.

Alles aan mam vertellen? Dat ze Droomeiland aan Nelli verklapt had en dat die nu vier gezinnen had opgetrommeld? Mam zou vast zeggen: 'Sukkel die je bent, schrijf onmiddellijk dat er nog geen gebouw overeind staat! Ze kunnen pas reserveren als we zeker weten dat we ze kunnen ontvangen.' Maar in dat geval zou Nelli te weten komen dat Lena het restaurant en de twee hutten bij elkaar gefantaseerd had. Lena's wangen werden al rood bij de gedachte.

Of was het beter om maar even niets te doen? Zolang mam de mails niet met 'akkoord' beantwoordde, was er nog niks aan de hand. En misschien kwam het eiland gewoon op tijd klaar, dan was het wel een heel fijne verrassing voor haar ouders. Kon je daarop wachten? Hoe lang kon je volhouden om niet te antwoorden?

Hoe had ze het toch voor elkaar gekregen om een geheim voor

haar ouders te hebben, én een geheim voor Nelli. Ze kon niet meer bedenken hoe het zo gekomen was, ze kon trouwens helemáál niet meer nadenken. Het leek wel of haar kop van klei was.

Eerst hier maar weg. Weg uit dat vieze klamme cafeetje waar je zweette als een otter. Ze keek nog snel of er voor de anderen mailtjes waren, want straks zou mam naar de haven komen. Nee, geen post. Ze legde het geld op de bar en tuimelde naar buiten.

Bij de haven ging ze op de afgebrokkelde muur van de kade zitten. Ze schikte haar sjaal goed om haar hoofd tegen de felle zon. Heel in de verte zag ze het groene puntje dat hun eiland was.

'Akkoord'

De 14 stuiterde tegen de kademuur; aanleggen was niet mams specialiteit. Lena ving het touw en maakte de boot vast. Ze zag meteen dat ze het dorp niet in zouden gaan, want mam droeg een hemdje met de meeuwenvleugels eronderuit, en ze had een korte broek aan en een pet op.

'Goeie morgen, lieve schat,' zei mam terwijl ze het trapje op klauterde. Boven gaven ze elkaar een zoen.

'Kom, we gaan daar zitten,' zei mam. Ze sloeg haar arm om Lena's schouder en ze slenterden samen naar het muurtje.

'Kind, wat zie je rood! Nou zeg, het is hier een stuk warmer dan bij ons. Wij hebben veel meer wind. Heb je de mails nog bekeken vanmorgen?'

'Ja,' zei Lena. 'Er was niets voor jullie.'

'O, lekker rustig. En voor jou?'

'Eentje.'

'Van Nelli zeker.'

'Ja.'

'Zeg, er is toch niks? Je bent zo stil!' Mam keek Lena onderzoekend aan.

'Nee, hoor,' zei Lena. Ze voelde zich nog heter worden.

'Als je genoeg van de logeerpartij hebt, kom je gewoon naar huis. Dat weet je toch, hè?'

'Ja.'

'Hoe was het feestje van Fatik?' vroeg mam. 'Ik heb je wel gemist, hoor, dit weekend!'

'Ik jullie ook,' zei Lena. 'Maar het feest was heel leuk. Als Dhara en ik niet meegeholpen hadden met koken, had mevrouw Roosje het nooit klaargekregen. 'We mochten een drankje maken van yoghurt,' zei Lena. 'Dat heet lassi.'

'Nasi en lassi,' grinnikte mam.

'En Dhara en ik hebben helemaal alleen een toetje gemaakt van warme melk en griesmeel. Dat toetje moet altijd op een feest gemaakt worden want dat brengt geluk, zegt mevrouw Roosje.'

'Nou, dan moet je dat thuis ook maar eens maken,' zei mam met een diepe zucht. 'Moet je Dhara trouwens niet eens meenemen naar ons?'

'Ik heb het wel gevraagd, maar ik geloof dat ze niet wil. Ze kan ook niet zwemmen.'

'Misschien mogen meisjes hier niet zwemmen,' zei mam. 'Tja, dan heb je niet veel aan ons eiland.

En mevrouw Roosje, nog nieuws?' Mam ging maar door met haar vragen.

'Geen speciaal nieuws,' zei Lena. 'We doen nu elke avond een spel, mevrouw Roosje, Dhara en ik. Het heet Mahjong. Het duurt wel lang maar het is heel leuk. In het begin lijkt het ingewikkeld, je moet muren bouwen van steentjes.'

'Muren bouwen!' Mam lachte flauwtjes. 'Net als wij op het eiland.' Haar glimlach zakte weg en haar ogen staarden vermoeid naar het groene puntje in de zee.

'Wat is er?' vroeg Lena voorzichtig.

'Eh, niks,' zei mam zonder weg te kijken van de zee.

'Het gaat toch wel goed met de bouw?'

'Eh, ja hoor.'

'Of is er iets anders?' vroeg Lena. Ze voelde dat er iets was. Precies zoals mam bij Lena kon voelen dat er iets was. Maar allebei gingen ze het niet tegen elkaar zeggen.

'Nee kind, heus niet!' Mam zette een vrolijk gezicht op. 'Alles loopt als een tierelier. Loki en Sani werken zich de blubber. O ja, en Fons helpt zo goed mee! Hij timmert en hij zaagt. De Wereldschool hebben we maar opgegeven, niks aan te doen. Volgend jaar moet hij maar gewoon naar die kostschool, tegelijk met jou.'

Bij het woord kostschool moest Lena vanbinnen kreunen.

'Wat is er?' vroeg mam.

'Niks.'

'O, ik dacht dat er wat was.'

'Nee hoor,' zei Lena.

Pas 's avonds in bed kon ze rustig nadenken over Nelli's verrassing. Nu ze hier zo kalmpjes lag, leek het eigenlijk niet eens zo ingewikkeld. Ze zou gewoon proberen wat tijd te winnen. En als de bouw van het restaurant een beetje opgeschoten was, zou ze het thuis vertellen en konden de reserveringen terug met 'akkoord'.

Haar ouders zouden vast superblij zijn, want dat bracht voor het eerst geld in het laatje. En daar had Nelli voor gezorgd! In ieder geval moest Lena beginnen om Nelli te bedanken. Meteen morgen maar.

Lieve Nelli,
Wat goed dat al die mensen komen. Hoe heb je dat nou weer voor elkaar gekregen? Zaterdag zal ik het meteen aan mijn ouders vertellen. Die zullen ook blij zijn. Wie is familie Gartman? Die ken ik niet. Zo, nu moet ik naar Indiase les.

Groetjes,
Lena

Hoi Lena,
Ja super hè. Het was niet zo moeilijk hoor. De ouders van Hanna zouden al meegaan en die hebben gewoon hun beste vrienden erbij gevraagd. Die gaan heel vaak met hen op vakantie.

In de klas mocht ik het adres van jullie website op het bord schrijven en nu kunnen ze allemaal zien waar jij zit. Leuk hè? Ja, iedereen denkt heus nog wel aan je.

Doeidoei,
Nelli

Hoi Lena,
Het is nu al meer dan een week geleden dat ik je mailde, maar ik heb niks meer van je gehoord. Mijn moeder en Hanna's moeder vragen steeds: wanneer krijgen we nou antwoord op onze vakantieaanvraag? En dan zeg ik, ik weet het niet.

Je moet echt je moeder opporren, hoor. Dat ze zegt dat het goed is. Als mijn moeder te lang moet wachten krijgt ze er misschien genoeg van. Je weet hoe ze is. Geef eens wat vlugger antwoord.

xxx Nelli

Hoi Nelli,
Ja, sorry dat mijn moeder nog geen antwoord heeft gegeven. Ze was een tijdje ziek en mijn vader komt het eiland zowat niet af omdat hij

hard aan het werk is.

Ze waren heel blij dat jullie met z'n allen komen. Over een paar dagen zal mijn moeder wel weer beter zijn.

Groetjes, Lena

Hoi Lena,
Gaat het wel goed? Ik heb nog steeds niks van je gehoord. Is je moeder niet beter geworden vorige week?Hier gaat 't zozo. Mijn moeder begint al een beetje woest te worden dat ze deze week alwéér niks gehoord heeft. Dat komt omdat familie Gartman steeds belt of ze al iets meer weet. Ik ben zo bang dat mijn moeder het zat wordt en dan kan ik in de zomer niet bij je komen. Mail meteen terug a.u.b.!!

xxx Nelli

De ventilator van het cafeetje was voor de zoveelste keer kapot. Het stikte van de vliegen en het was er bloedheet. Lena's handen plakten, het zweet druppelde van haar voorhoofd in haar ogen.Terwijl ze haar gezicht afveegde met haar sjaal las ze de laatste mail van Nelli voor de zoveelste keer over.

Het was duidelijk dat ze iets moest doen. Maar wat? Ze liet de computer aanstaan en liep het cafeetje uit om na te denken. Buiten op het bankje was het koeler en zat die vrouw niet op haar lip. Hier lag alleen de hond aan haar voeten, als een voddig vloerkleedje.

Wat een toestand toch. Ze zat zo klem als een muis in een muizenval. Zo kon het niet verder!

Er zat maar één ding op. Gewoon zaterdag alles aan papa en mam vertellen en dan maar zien. En tot die tijd nog één keer een smoes voor Nelli verzinnen, de allerlaatste smoes. Lena probeerde er eentje te bedenken, maar dat was moeilijk. Mam kon toch niet eindeloos ziek zijn? Bovendien wist Nelli ook wel dat Lena tien keer zo handig was met de computer als mam en dat ze makkelijk voor haar moeder kon antwoorden.

Het enige wat ze in de gauwigheid kon verzinnen was dat de elektra een tijd was uitgevallen. Ja, dat was het, dan zou ze nu niets meer mailen tot ze thuis alles verteld had.

Lena stond langzaam op. Binnen schoof ze het gammele krukje voor de tafel en ging zitten. Ze klikte gauw Nelli's mail weg en keek of er nog nieuwe post voor haar familie was.

Nee hè! Het bloed steeg naar haar hoofd. Er was alwéér een mail van Nelli. Net geschreven! Het was maar een kort berichtje zonder 'Hoi Lena'.

Mijn moeder geeft het op. Doe iets!
Nelli

Iets doen, nu moest ze echt iets doen! Lang dacht ze er niet meer over na, ze zocht de mails op met de reserveringen en vinkte vier keer 'Akkoord' aan. Daarna drukte ze op 'verzenden'. Zaterdag zou ze het wel uitleggen aan papa en mam. Ze mailde Nelli in een korte zin dat alles in orde was, sloot de computer af en haalde opgelucht adem.

Op weg naar het huis van mevrouw Roosje voelde ze zich zo licht als een veertje.

Bamboe

'Gezellig zo, weer met zijn viertjes!' zei mam. Het was zaterdagochtend, papa had Lena opgehaald en ze zaten in de schaduw van de kokospalm te ontbijten.

Met de apen in de bosjes op de loer.

'Vind je 't ook fijn, Fons, dat Lena er weer is?' Mam zocht de ogen van Fons onder de klep van zijn pet en achter zijn bril.

'Hmm.'

'Ja Lenaatje, ik mis je wel, hoor, door de week,' lachte papa.

'Nou, als je dit al niet trekt, hoe moet het dan volgend jaar als wij op kostschool zitten?' zei Fons bot.

'Dat lijkt me ook vreselijk!' zei mam. 'Trouwens, daar willen papa en ik het vandaag nog even over hebben, hè Bram? Lenaatje nog een pannenkoek?'

'Nee,' zei Lena. Haar maag was samengekrompen en ze kreeg

geen hap meer naar binnen. Dat gebeurde iedere keer als iemand met die kostschool op de proppen kwam. Maar het kwam door nóg iets. Daarnet toen ze naar het restaurant keek, had ze gezien dat de paar houten muren die er de vorige keer stonden, verdwenen waren. Het was alsof er sinds vorige week niks gebeurd was. Sterker nog, het leek wel of ze iets hadden afgebroken.

'Wat is er met het restaurant gebeurd?' vroeg ze voorzichtig.

'O, kind, hou op schei uit!' begon mam. 'Laten we het nog even gezellig houden. Vertel Fons eens van de school van Fatik. Bram, krijg ik nog een beetje thee van je?'

'Ja, vertel eens wat over Fatik,' begon haar vader nu ook. 'Wanneer komt hij weer thuis?'

'Ze durven er niet over te praten,' mompelde Fons.

'Waarover?' vroeg Lena.

'Over het restaurant.'

'Wat is er dan?' vroeg Lena.

'Jongens, moet je nou dat kleine aapje eens zien,' begon mam. 'Zeg Lena, zal ik dadelijk even je haar knippen? Alleen de dooie punten eraf.'

Lena keek Fons vragend aan. Waarom gaf hij geen antwoord?

'Nou?' vroeg ze.

'Ze hebben alles weer neergehaald,' zei Fons. Lena draaide haar hoofd om.

'Ja, dat zie ik, maar waarom?'

'Ze zagen het niet meer zitten,' zei Fons.

'Hè, Fons, zo mag je niet praten!' riep mam uit. 'Je weet best hoe het zit.'

Lena keek haar moeder aan en zei: 'En jij zei laatst dat het goed ging met de bouw. Dat ze lekker opschoten.'

'Ach schatje, ik wou je niet ongerust maken. Je had toen net dat feest van Fatik gehad en zo. Nou, bedankt Fons, ik had nog éven gezellig willen eten. Oké, ik zal het maar vertellen: het ging de laatste weken helemáál niet goed. Maar gisteren hebben we een paar besluiten genomen. Bram, vertel jij alles maar, ik heb er geen zin in.'

Lena keek haar vader aan, die zuchtte diep. Hij had zeker ook geen zin, maar begon toch.

'Nou kijk, Lena, het komt allemaal door dat mangrovehout. Weet je nog dat mister Palatty beloofde dat we gratis hout hadden om onze huizen hier te bouwen?' Lena knikte.

'Nou, daar is dus geen donder van terechtgekomen!' Papa staarde voor zich uit en even dacht Lena dat dit het einde van zijn verhaal was.

'We hebben het wel geprobeerd, maar het is geen doen. Die mangrovestammen zijn veel te bochtig en te bobbelig om er goeie planken van te zagen. Palen gingen nog wel, maar planken waren een hel! We deden er met zijn allen een hele middag over om vier plankjes te krijgen.

Sani en Loki wilden het al langer opgeven maar ik móést en zou doorzetten. Ik had er verdorie op gerekend dat die huizen me niks zouden kosten! Uiteindelijk zag ik ook dat het gekkenwerk was, hè Fons?' Fons knikte nonchalant, als een echte werkman.

'Je moeder en ik hebben dagenlang zitten dubben. Hoe nu verder? Er is enorm veel hout nodig voor het restaurant, de gastenverblijven en ons eigen huis. Daar hebben we domweg niet genoeg geld voor, simpel zat. Bijverdienen gaat niet, want Palatty heeft geen werk meer voor me, klaar.

Nou, en toen kwam Loki ineens met de oplossing: bamboe! Daar kun je ook huizen mee bouwen en dat is een stuk goedkoper, vooral als je het ruw koopt. We moeten het dan zelf inwassen met een goedje tegen de rot en de schimmel en de insecten. Dat kunnen we mooi hier op het strand doen.'

'En hoe kom je aan dat bamboe?' vroeg Lena.

'O, dat nemen Sani en Loki voor ons mee. Kijk, daar ligt de eerste voorraad al.' Lena zag een miezerig hoopje aan de zijkant van het strand liggen. Ze zei niks.

'Ik weet wat je denkt,' zei mam. 'Als we steeds op Sani en Loki moeten wachten met dat bamboe, kan het nog lang duren.'

'Ja,' zei Lena. Ze keek de kring rond. Er hing iets raars in de lucht, het was alsof ze alle drie de moed hadden opgegeven en dat het hun niks kon schelen. Ze voelde zich treurig worden.

'Zie je daar dat dak van palmbladeren?' ging haar vader vlug verder.

Lena draaide zich om. Daarboven op de toekomstige weg naar het tweede strand stond een groot afdak op palen, ze had het nog niet gezien.

'Ja,' zei ze.

'Daar gaan we het bamboe onder leggen om te drogen. Pas als het grootste gedeelte van het vocht eruit is, kunnen we het gebruiken.'

'O,' zei Lena. Ze voelde dat er nóg een tegenslag aankwam.

'Alleen de pest is,' vervolgde papa, 'dat het drogen van dat bamboe behoorlijk lang duurt.' Haar vader zweeg, hij leek niet verder te willen praten. Mam zat in haar handen te knijpen alsof ze zat te bidden. Fons gooide bananenschillen naar de apen.

'Snap je nou waarom ik niks tegen je gezegd heb, Lenaatje?' vroeg mam zacht en zangerig.

'Nee,' zei Lena.

'Het gaat ons niet lukken om in de zomer klaar te zijn. Dát betekent het! Door dat drogen van het bamboe halen we het nooit. We hebben ons erbij neergelegd, het is niet anders. Maar nu de kogel door de kerk is, kun je ook denken: fijn, we hebben schoon schip gemaakt, we gaan er weer vol gas en vol goede moed tegenaan.' Mam keek alsof ze een fijne verrassing had verteld, maar Lena lachte niet terug.

'Ach lieverd,' ging mam verder, 'ik vind het zo erg voor je! Jij hebt je zo verheugd op Nelli, dat weet ik. Nu moet je waarschijnlijk tot volgend jaar wachten. Ik durfde je het bijna niet te vertellen.' Ze aaide even over Lena's hand.

'Maar we moeten allemaal door de zure appel heen bijten. Wat dacht je van papa en mij? Wij hadden het geld van de gasten hard nodig. Dat gaat nu allemaal niet door.'

Lena voelde zich dof en mat worden. Ze kon alles nauwelijks in haar hersens gepropt krijgen. Had ze het goed gehoord? Het enige lichtpuntje dat ze hier had, de zomervakantie met haar vrienden, ging niet door? Dat lichtpuntje kwam nu zo ver weg te liggen dat het niet meer te zien was. Als ze nu vooruitkeek, zag ze alleen de kostschool nog maar. Als een groot gapend zwart gat.

'Meissie, kom eens hier.' Haar vader trok haar tegen zich aan en streek over haar krullen.

'Niet zo droevig kijken, hoor, daar kan ik niet tegen. Weet je, zoals het er nu uitziet zijn we na de zomer klaar. Wat zeg ik, zomer? Het is hier altíjd zomer! In september kunnen we dan de eerste gasten ontvangen. Dat zijn mensen die geen kinderen hebben die naar school moeten. Ik ken er zó al een hoop van ons dorp. Ja, de eerste tijd moet je het van je kennissen hebben, die vertellen het weer aan hún kennissen en zo raak je langzamerhand bekend. En als zij op internet schrijven hoe fijn het hier was, trekt dat weer nieuwe mensen aan. Want puur vreemden die onze website ontdekken willen altijd weten wat een ander ervan vond. Als er niks bij staat, durven ze niet snel te komen. Dat zie je nu al, Milan heeft de website klaar en hij heeft nog maar drie telefoontjes gekregen, toevallig alle drie uit Duitsland. Die mensen krijgen van ons bericht als we hier klaar zijn. En voor de rest is er nog geen reactie gekomen. Is het niet, Jill?'

'Klopt,' zei mam. 'Lena kijkt er regelmatig naar. Met wachtwoord "deschelp", hè Lena?' Lena knikte, rood was ze al.

'De Schelp,' lachte Fons. 'We kunnen beter een nieuw wachtwoord nemen, de 14 of zo.'

'Hè, Fons, schei eens uit,' zei mam.

'Die foto's op de website kun je nou ook wel weggooien,' ging Fons opgewekt verder.

'Hoezo?' vroeg mam.

'Houten restaurant en houten hutten. Moet bamboe worden.'

'Daar heeft hij wel een punt,' zei papa. 'Milan zal de website weer moeten veranderen, er zit niks anders op. Kost ons wéér geld waar we niet op gerekend hadden.'

'O, ja,' zei mam overdreven vrolijk. 'Over geld gesproken, we zouden het nog over de kostschool hebben. Bram, vertel jij het of ik?'

'Doe jij maar.'

'Nou, papa en ik hebben zitten rekenen. In september kunnen we waarschijnlijk pas ons eerste geld gaan verdienen. Van de nieuwe gasten, dat snappen jullie. Tot zo lang moeten we het doen met wat we hebben en dat is niet veel meer. Door al die tegenslagen die we hadden...'

'En de tegenslagen die nog komen,' vulde Fons aan.

'Nou ja, om een lang verhaal kort te maken, we kunnen jullie niet naar die school sturen. Wel een jaar later, hopelijk. Nu is het domweg te duur. Zonder die school kunnen we het nog maar net rooien tot september. Papa en ik vinden het heel erg, want het is o zo belangrijk dat jullie hier vrienden krijgen en de taal goed leren.' Mam keek de kring rond om te kijken of Fons en Lena het begrepen. Fons zag er een beetje geschrokken uit, zag Lena.

'Fons kan z'n oude lespakketten nog lekker een jaartje gebruiken,' zei papa. 'En Lena vindt het vast niet erg om de middelbare school op de Wereldschool te doen, is het niet, meisje?'

'Nee,' zei Lena. Ze voelde een last van haar schouders vallen en ze glimlachte. Ze keek naar Fons, maar die deed net of het niet over hem ging. Hij was opgestaan en zei dat hij ging zwemmen.

'Ho, ho, we zijn nog niet uitgepraat.' Papa duwde Fons de stoel weer in.

'Wat nou weer?'

'Nog een laatste punt,' zei papa. 'En daar kunnen we kort over zijn. Mam en ik hadden jullie beloofd dat jullie eens per jaar bij oma mochten logeren.'

'Dat gaat zeker ook niet door,' zei Fons, hij stond alweer op.

'Goed geraden,' zei papa.

'Nou ja,' zei mam, 'misschien in de herfst, hè Bram?'

'Ga maar zwemmen,' zei papa.

Met Fons in zee

Lena zat in haar bikini aan het eind van de steiger, haar benen bengelden over de rand. Ze keek naar Fons die op zijn rug dreef met zijn snorkelpijpje omhoog gedraaid. Hij leek op een duikboot.

Dit was hun lievelingsplek. Het water kwam er tot je middel. Om te duiken was het eigenlijk te ondiep, maar plat op je buik ging het net. Hier had Lena van de zomer nou die neefjes van Nelli erin willen duwen. Ze had het helemaal voor zich gezien. Hoe al die kinderen elkaar achternazaten op de steiger en hoe de ouders toekeken vanaf het terras.

Gek, dat ze in haar gedachten altijd het restaurant en hun nieuwe huis kant-en-klaar op het strand zag liggen. Terwijl er in werkelijkheid alleen maar een houten hutje met een tinnen dak stond, met daarachter een schuurtje, een put, een wc-hok en een zelfgemaakte douche van een zak met gaatjes. Zelfs als ze ernaar keek, zag ze toch dat andere, dat mooie.

Dat kwam natuurlijk door die foto's op de website, of doordat zij de huizen afgebouwd had in haar mailtjes aan Nelli. Maar vooral doordat papa en mam altijd en eeuwig maar praatten over hun droom. Eigenlijk woonden zij op een gedroomd eiland. Droomeiland, een gedroomd eiland... ze zag het al in haar schrift staan.

'Kom je er nog in?' vroeg Fons.

'Even wachten,' zei Lena. Ze wilde nog even blijven zitten, zc had tijd nodig om na te denken. Wat hadden papa en mam daarnet allemaal niet verteld? Het duizelde haar.

Toen papa over de reacties op de website begon, had ze haar mond niet opengedaan. Dat was logisch, ze ging niks vertellen tegen een heel gezin. Straks zou ze mam apart nemen, dat wist ze nu heel zeker. Dat was moeilijk, maar het moest nu wel. Ze voelde zich weer net als vorig jaar toen Nelli had verzonnen om de kinderpostzegels niet in hun dorp, maar in de stad te verkopen. Zo zouden ze het meeste geld binnenbrengen van de hele klas en zeker de grote prijs in de wacht slepen. Maar toen waren ze gesnapt en moesten ze het van hun ouders gaan opbiechten aan de meester.

'Ik ga eruit, hoor,' riep Fons.

'Nee nee, ik kom.' Lena deed de platte buikduik.

'We gaan dus niet naar die school,' begon Fons. 'Toch wel jammer.'

'Ik dacht juist dat je blij zou zijn.'

'Nee, dat heb je toch gezien? Ik kan niet leren in mijn eentje.'

'Ja, maar straks zitten we in dezelfde klas, dan kunnen we samen leren.'

'Samen leren, samen snorkelen,' schamperde Fons. 'Weet je, ik heb het hier helemaal gehad!' Lena zei niets terug. Ze keek naar de kleine vlokkige wattenwolkjes hoog in de blauwe lucht.

'Fatik zei dat ze op die school heel veel aan sport doen,' ging

Fons verder. 'En ze gaan in het weekend de stad in, naar een café met muziek. Ik wil wel weer eens lachen, weet je!'

Lena schrok, zo had ze het nog niet bekeken. Als zij aan die school dacht, zag ze groepen meisjes die ze niet kon verstaan. Meisjes die kakelden als kipjes, en zij in haar eentje aan de rand van een schoolplein met haar witte gezicht en witte krullen. Maar misschien was dat onzin, misschien zouden die meisjes wel vechten om vriendin met haar te worden. Ze konden natuurlijk Engels praten.

'Kunnen we niet gaan zeuren dat we tóch willen?' vroeg ze.

'Dat heeft geen zin. Je ziet toch dat het hier helemaal uit de hand is gelopen? Alleen mam en papa hebben dat niet door. Je hoorde mam daarnet toch over vol gas en goede moed? En dan papa de hele tijd met z'n uitvissen, wennen en aanpassen! Ik word er ziek van, hij is bij uitvissen blijven steken! Wat hebben ze hier nou klaargemaakt in die zeven of acht maanden? Een steiger en een betonnen vloer.'

'Maar dat is ook ónze schuld' zei Lena. 'Met dat kind en die boten.'

Ze waren op de bodem van de zee gaan zitten. Alleen hun hoofden staken boven het water uit.

'Onze? Jóúw schuld zul je bedoelen. Jij moest zo nodig dat joch meenemen!'

'Oké, mijn schuld, maar papa en mam konden er in ieder geval niks aan doen.'

'Ze maken er een puinhoop van,' barstte Fons los. 'Vanaf nu wordt het helemaal een toestand. Papa kan nou niets meer doen zonder Loki en Sani, want hij heeft geen moer verstand van bamboehuizen. Dat wordt nog wat, let maar op! En dan die website. Ze denken zeker dat het stormloopt, dat die hutten meteen vol zitten en dat ze meteen geld gaan verdienen. Ze hebben nog maar drie adressen uit Duitsland. Maar die mensen komen heus niet in september, die hebben intussen allang iets anders gevonden. In het begin krijg je het nooit volgeboekt, dat weet iedereen behalve papa en mam.'

'Nou, deze zomer zou de familie van Nelli komen,' zei Lena voorzichtig.

'Ach, dat zeggen ze. Maar als puntje bij paaltje komt, doen ze het niet. Weet je nog hoe duur dat vliegtuig was?'

'Nee, eerlijk, ze wilden echt komen.' Lena keek naar Fons die ongelovig zijn hoofd schudde en het onder water liet zakken. Nu leek het wel of ze helemaal alleen in de zee zat, een uitgestrekte zee in een vreemde wereld. Plotseling verlangde ze ernaar om Fons in vertrouwen te nemen, net zoals vroeger toen ze al hun geheimen aan elkaar vertelden.

'Weet je,' zei ze toen zijn hoofd weer boven water was, 'Nelli zou in de zomervakantie met nog drie gezinnen in de vier hutten komen.'

'Vier hutten, waar heb je het over, die staan er toch nog niet?'

'Wel op de website.'

'Ja, maar die site kunnen ze toch nooit vinden? Er zijn honderden van die eilandjes waar je kunt duiken en zo.'

'Ja, maar,' begon Lena, 'ik had Nelli geschreven dat we Droomeiland gingen heten.'

'Dat zouden we toch nog niet vertellen?'

'Maar toen mam dat zei, had ik het al verteld.'

'Aan Nelli?' gilde Fons uit. 'Nou, dan weet ik het wel.'

'Wat dan?'

'Als je iets aan Nelli vertelt, weet gelijk het hele dorp het!'

'Dat is ook gebeurd,' zei Lena zacht. 'Ze heeft het webadres op het bord geschreven, in de klas.'

'Hoe kun je zo stom zijn! Dus het hele dorp zit nou naar ons houten restaurant te loeren.' Fons wierp een blik in de richting van de betonnen vloer. Papa en mam zaten nog steeds in hun stoelen onder de palm. Nog steeds te praten zeker over vol gas ertegenaan.

'Ons restaurant, dat volgende week ineens van bamboe is,' vulde Lena aan. Ze moest er zelf een beetje om giechelen.

'Ja, lach maar,' zei Fons. 'Nu gaan er vast allerlei mensen reserveren, want iedereen is stiknieuwsgierig hoe wij hier zitten. En dan moet mam allemaal smoesjes gaan verzinnen waarom ze niet kunnen komen.'

'Ze hebben al gereserveerd,' zei Lena dof. 'Vier hutten voor drie weken. Van 2 tot 23 juli.'

'Oké, maar toen heb je Nelli toch wel geschreven dat hier nog niks overeind stond?'

'Dat durfde ik niet, daar schaamde ik me voor.' Lena voelde zich kwaad worden. 'Het is toch niet normaal dat er nog niks is!'

'Ja, vind ik ook,' zei Fons. 'Maar je kon toch schrijven dat we nog niet helemaal klaar waren of zo?' Lena kreeg het benauwd, maar ze wilde hem nu alles vertellen, ook het stomme.

'Dat kon niet meer, want ik had al gezegd dat het restaurant klaar was en ook twee hutten.'

'Hè, waar slaat dat op? Ben je wel in orde?' Fons keek haar aan of ze niet goed wijs was. Lena wist niets te antwoorden.

'Wou je opscheppen of zo? Zielig hoor!'

'Het kwam door Nelli,' zei Lena fel. 'Zij zat maar te zeuren, is dit al klaar en dat? En ik schaamde me gewoon, nou ja, dat snap je toch wel? En toen heb ik op een paar vragen ja gezegd, en toen moest ik wel doorgaan.'

'Wat zei mam wel niet?' vroeg Fons ontzet.

'Mam weet er niks van. Ik durf het niet te zeggen.'

'Nou ja zeg, zo kwaad zal ze toch niet zijn? Het is trouwens d'r eigen schuld, zíj moest zo nodig die website de lucht in gooien.'

'Mmm,' zei Lena.

'O jee,' zei Fons met een frons op zijn voorhoofd, 'ze zal wel helemaal op tilt slaan als ze hoort dat het hele dorp naar ons eiland zit te kijken. En papa...'

'Precies, daarom zie ik het niet zitten.' Lena keek haar broer aan. Dat moest hij toch kunnen begrijpen. Fons was even stil, toen zei hij: 'Weet je, eigenlijk hoeven ze het niet eens te weten. Maandag mail je gauw. Gewoon één goeie smoes aan Nelli en iedereen weet dat ze nog niet kunnen komen.'

'Maar wat voor smoes?'

'Nou, je schrijft gewoon iets vaags op. Iets met de generator of het water of een probleem met de daken. Of nee, dat hoeft niet eens. Je zegt gewoon dat het heel jammer is, maar dat het niet gaat lukken om alles helemaal rond te krijgen deze zomer. "We krijgen het niet rond", die zin moet je onthouden. En dat het ons erg spijt of zo. Kijk, als ze al een officiële bevestiging van mam hadden gehad, dan was het wat anders. Dan moet je wel met meer komen dan een smoes. Maar nu is er eigenlijk geen vuiltje aan de lucht.'

'Er is wél een vuiltje aan de lucht,' begon Lena voorzichtig.

'Wat bedoel je?'

'Ze hebben wél een bevestiging gekregen.'

'En je zei dat mam er niks van wist?'

'Ik heb het zelf gedaan.'

'Wát zeg je? Lena! Ik krijg wat van jou!'

'Je hoefde maar vier keer akkoord aan te klikken.' Lena keek Fons even aan. Zijn hele gezicht zag er kwaad uit, zijn ogen, zijn mond, alles.

Ze probeerde het uit te leggen. Dat Nelli de boel had opgejut en zo. Maar Fons kon er niet meer bij met zijn verstand.

'Wat een dombo ben jij, zeg,' zei hij. 'Nu moet je het echt aan papa en mam vertellen. Dan kunnen zij het behoorlijk afzeggen.'

'Ja,' zei Lena. Ze waren even stil. In de verte was de motor te horen van Loki's boot die bamboe kwam brengen.

'O Lena, je bent echt stom geweest,' zei Fons plotseling, 'want weet je wat er ook nog kan gebeuren? Dat die mensen intussen hun vliegreis al geboekt hebben. Dan zijn papa en mam helemáál de klos, die moeten dan alles betalen. Of ze moeten de gasten toch maar laten komen. Zie je het voor je? Dat ze de steiger af komen en naar ons hutje toe lopen met hun koffers?' Lena griezelde bij het idee, ze kreeg er kippenvel van. Nu trok Fons toch weer een aardig gezicht, hij kreeg zeker medelijden met haar.

'Wanneer heb je die akkoordjes weggedaan?'

'Vier dagen geleden.'

'Nou, zo vlug zullen ze die vliegreis niet geboekt hebben,' zei Fons en hij ging staan. 'Kom, we gaan het meteen vertellen, dan ben je er vanaf.'

'Mmm.'

'Ach, weet je wat,' zei Fons goeiig, 'probeer het maandag anders eerst zelf. Veel kun je toch niet meer verpesten. Weet je die zin nog?'

'We krijgen het niet rond,' zei Lena.

'Oké, maar dan moet je echt mailen maandag, doe je dat?'

'Ja, echt,' zei Lena. Ze keek omhoog naar Fons en haalde diep adem, ze had de liefste broer van de hele wereld.

'Bedankt,' zei ze nog. En toen begon Fons haar nat te spatten en onder water te duwen, ze vochten en gilden en proestten. Daarna deden ze wie het eerst bij de steiger was.

Nelli weer

Zondag, voor het donker werd, zette mam haar af in de haven. Uiteindelijk had Lena toch nog een fijn weekend gehad. Vooral omdat Fons ineens niet meer zo lomp tegen haar deed. Het leek wel of die puberteit in één klap over was, maar dat zou wel niet.

Ze was zo blij dat ze hem alles verteld had. Nu pas merkte ze hoe lang ze in haar eentje had zitten modderen. Ze was helemaal vergeten hoe fijn het was om je 'samen' te voelen. Dan vloog de helft van je zorgen de lucht in, hup weg. En de andere helft droeg je samen, dus dan bleef er voor ieder maar een kwart over, een peulenschil volgens Fons.

Morgenochtend vroeg zou ze meteen gaan mailen. Gewoon even flink zijn en doen wat Fons gezegd had. 'Mijn ouders krijgen alles niet rond om jullie te ontvangen. Sorry, sorry, sorry.' En daarna zouden er alleen maar fijne dingen komen. Want het schooltje had een hele lading oud speelgoed gekregen voor de kleintjes en Lena mocht mevrouw Roosje helpen met het uitzoeken en schoonmaken ervan. Wat schoon en heel was, mocht ze meteen aan de kinderen geven. Ze verheugde zich erop.

'Heb je het leuk gehad?' vroeg mevrouw Roosje. Ze zat in de tuin op Lena te wachten. Het was nog niet donker, maar de waxinekaarsjes op de tafel brandden al.

'Ja hoor,' zei Lena. Ze gooide haar rugzak op de grond en ging zitten. De zoete geur van de rozen rondom maakte haar rustig en tevreden. 's Avonds geuren ze nog meer dan overdag, dacht ze.

'Neem maar een pasteitje van de schaal, ik ga even thee halen. Ik ben blij dat je er weer bent, kind, ik heb je gemist.'

Alweer iemand die haar miste! Papa, oma, mevrouw Roosje. Zou dat zo haar hele leven doorgaan? Zou dat komen omdat ze steeds ergens anders woonde? Als je steeds op dezelfde plek bleef, kwam er misschien geen missen aan te pas. Maar ja, dan zouden je vader en moeder niet moeten verhuizen, en moest je ook altijd bij hen blijven wonen zoals ome Bing. Dus dan kon je nooit trouwen, want dan ging je je ouders weer missen.

Het leven ging zeker niet zonder missen. Maar bij háár familie was het wel héél erg. Omdat mam een eiland miste woonden ze hier, maar nu miste papa zijn motors weer. En Fons en Lena misten hun school en hun vrienden. En allemaal misten ze oma en ome Bing. En omdat Lena het niet uithield op hun eiland miste papa haar weer en omdat ze in het weekend terugging, was mevrouw Roosje er ook nog eens bijgekomen. Het hield niet op. Over 'missen' ging ze trouwens niks meer in haar schrift zetten, daar had ze genoeg van.

'Zo, daar ben ik weer.' Mevrouw Roosje was het huis uit gekomen met de theeketel. 'Je moet het dadelijk niet te laat maken, want je gaat morgenochtend toch meteen met mij mee? Ze hebben al dat speelgoed in het schuurtje naast de school gepropt. Het was een heel busje vol. Morgen leggen we het buiten en gaan we lekker op het stoepje zitten om het uit te zoeken. Ik neem een teil mee, die kunnen we bij de put zetten, daar kunnen we lekker kliederen. Help onthouden dat ik ook afwasspul meeneem.'

'Ja, ik ga morgen mee,' zei Lena, 'maar dan loop ik eerst even door naar het cafeetje. Ik moet iets belangrijks mailen.'

'Natuurlijk, kind. Er is toch niks ergs?'

'Nee.'

'Je vergeet je thee.'

'O, ja.' Lena verborg gauw haar hoofd in de wijde theekom.

Het was heerlijk koel 's morgens. Mevrouw Roosje en Lena liepen naast elkaar aan de zijkant van de weg. Er waren veel mensen op pad. De meesten met karretjes en fietsen. Iedereen ging hier vroeg naar de markt om inkopen te doen, want later op de dag werd het veel te warm. Bij de school was nog geen kind te bekennen. Mevrouw Roosje maakte met haar sleutel het hekje open en Lena liep alleen verder over het zanderige pad.

In het cafeetje was de mevrouw aan het vegen. Toen ze Lena zag, stopte ze ermee en ging buiten water halen voor de thee. Lena zette alvast de computer aan. Heerlijk, de vliegen sliepen nog, ze hoefde niet te wapperen met haar sjaal. Eigenlijk zou ze vaker zo vroeg moeten gaan. Ze legde het papier met de mooie zinnen van Fons op tafel. Die zinnen had hij gistermiddag nog even voor haar opgeschreven. Langzaam kwam de lijst met mailtjes tevoorschijn en meteen zag ze het: Nelli weer.

Hi Lena,
Fijn dat het goed was, het was net op tijd. Ze begonnen hier behoorlijk geïrriteerd te raken. Want ze wilden namelijk snel het vliegtuig

boeken want hoe vroeger je dat doet, hoe goedkoper het is. Daarom zaten ze zo te jagen. Nou ja, Hanna's moeder heeft meteen 's avonds voor ons allemaal geboekt. Voor 17 personen, jippie! Nou, weet je wat ik nog wou vertellen? We gaan al over drie weken op kamp. We mogen niet weten waar het is, maar wel dat het bij water is. De meisjes slapen in een schuur en de jongens in tenten. Dat wordt keten! Het is met zeilboten. We gaan met z'n vieren in een boot, met een leider. Iedereen zit nu al te smoezen wie met wie in de boot gaat. Mij kan het niet schelen, ik zorg heus wel dat ik niet met een snotjong kom te zitten. Het thema van het kamp is De Batavieren en nou zit de juf daar de hele tijd over te zeuren. Ik kan geen Batavier meer zien. Het is hier eindelijk mooi weer. Ik heb hele hippe gympen. Ik zei tegen m'n moeder dat we die moesten hebben voor de boot, lachen. Hanna had het ook geprobeerd maar haar moeder stonk er niet in. Nou ik moet naar paardrijden, doei.

Nelli

Lena bewoog niet, zelfs haar ogen leken niet meer te kunnen knipperen. Haar lijf was zo slap als een nat washandje en ze viel bijna van haar kruk.

De cafémevrouw zette een kommetje thee neer. Lena kon nog net haar mond in een lachje draaien om te bedanken.

Dít was dus waar Fons zo bang voor was geweest! Dat die mensen de dure vliegreis al betaald hadden. Zeventien retourtjes! En nu moesten papa en mam hun gaan zeggen dat het niet doorging, maar dan moesten zij alles vergoeden! Of papa en mam moesten in twee maanden tijd alle gebouwen en de hele mikmak razendsnel van de grond krijgen, maar dat lukte nog niet met een toverstaf.

Misschien konden ze nog proberen om bij de vliegtuigmaatschappij hun geld terug te krijgen. Dat kon ook als je ineens ziek werd. Dan moest je een briefje van de dokter opsturen en kreeg je je geld terug. Maar zeventien briefjes van de dokter?

Om te redden wat er te redden viel, moesten ze in ieder geval snel zijn. Was Fons er maar. O, Fons moest haar helpen! Om het samen aan hun ouders te vertellen. Zonder Fons durfde ze het niet meer.

Morgen zou mam naar de haven komen, misschien kon Lena met een smoes mee teruggaan. Maar wat voor smoes? Ze had mam juist verteld hoe fijn ze het vond om met het speelgoed te helpen.

Lena zuchtte diep, ze keek naar het blaadje met de mooie zinnen van Fons. 'We krijgen het niet rond', het had allemaal geen zin meer.

Opeens kreeg ze een idee, ze zou een brief maken voor Fons en die morgen aan mam meegeven. Daarin zou ze Fons vragen om het nieuws aan mam en papa te vertellen. Zonder haar erbij! Dat was wel slap en laf, maar ze kon er gewoon niet meer tegen, klaar! Ze moesten met z'n drieën maar snel iets verzinnen.

Lena begon de eerste zinnen van Nelli's mail over te schrijven. Vanavond zou ze de brief schrijven en in een dichte envelop doen.

Met dichtgeknepen keel slofte ze naar het schooltje. Waarom werd toch altijd alles verpest? Eindelijk had ze zich op iets verheugd, dat speelgoed, en ja hoor, ze zat alweer in de zorgen.

Ze deed altijd alles zo goed mogelijk en toch ging het fout. Hoe kon dat nou? Als je iets goed bedoelde moest het toch goed zijn? Als het dan misliep kon je er toch niks aan doen? Dan was het toch iemand anders z'n schuld, bijvoorbeeld van Nelli?

Of misschien had ze altijd pech. Dan was het toch óók niet haar schuld?

Maar het kon natuurlijk zijn dat ze gewoon dom was – zoals Fons zei – en dan was die hele puinhoop tóch haar schuld. Eerst die gestolen boten waardoor ze drie weken op het eiland vastgezeten hadden en zowat verhongerd waren. En waardoor haar vader zeven weken een baantje in de bouw had moeten nemen om een oude rotboot te kopen. En dan had hij nog niet eens genoeg geld verdiend voor een tweede boot. Die was nodig voor hun veiligheid, maar sinds die hongerweken durfde papa daar niet meer op te vertrouwen. Hij ging eerst sparen voor een soort scheepstelefoon, die werkte op een satelliet of zo. En al die tijd, tien weken lang, had niemand aan het eiland kunnen werken.

En nu dit, dit gedoe met die zeventien vliegreisjes, wie weet was dit nog wel veel erger... Lena schopte tegen alle stenen die voor haar voeten lagen. Ze was boos en ze was de hele wereld zat!

Toen ze bij de school kwam zag ze mevrouw Roosje en twee meisjes al op het stoepje in de schaduw zitten. Naast hen de berg speelgoed. Lena schrok: speelgoed? Ze had het zich heel anders voorgesteld. Dit leek op een berg plastic afval. Ingedeukte lekke ballen, autootjes zonder wielen, poppen zonder hoofden en armen, schepjes zonder handvat en veel gekleurde plastic staven die ooit ergens vanaf gebroken waren. Wat kon hier nou aan opgeknapt worden? Ze zei er maar niets van, want mevrouw Roosje en de meisjes keken heel tevreden.

'Mooi hè,' zei mevrouw Roosje. 'De meisjes maken poppenbenen schoon en Lena, jij mag de ballen bij elkaar zoeken.'

'Maar die zijn allemaal lek!'

'Wat zou dat nou,' zei mevrouw Roosje. 'Een lekke bal is beter dan geen bal.' Dat bleef ze herhalen bij alles wat ze uit de berg visten. 'Beter een fietsje zonder pedalen dan geen fietsje, beter een emmertje met een gat dan geen emmer.'

Op het laatst was Lena net zo blij met de speelgoedberg als de twee meisjes. Die veegden de gore poppenbenen met zeep en doekjes schoon tot ze lichtbruin werden.

Lena zocht alle ballen bij elkaar en borstelde ze af bij de put.

Toen die glanzend op het stoepje lagen was ze toch trots. Dat ze lek waren zag ze al niet meer. Ze mocht er één naar binnen brengen waar de kinderen op de grond zaten aan kleine lage tafeltjes. Ze gaf de bal aan de juffrouw. Die hield hem omhoog en de kinderen begonnen te juichen. Daarna probeerde Lena armen in poppenlijven te draaien. 'Als ze maar een hoofd hebben,' zei mevrouw Roosje opgewekt.

De volgende ochtend werkten ze verder. De twee meisjes waren er ook weer bij. Lena had nog niet veel tegen hen gezegd, daar kende ze te weinig woorden voor. Wel zei ze steeds 'mooi' en 'goed' en 'dankjewel' in het Indiaas. Dan brabbelden ze iets terug wat mevrouw Roosje vertaalde zonder ooit moe te worden.

Tegen tienen liep Lena naar de haven. Mam zat al op het muurtje, ze had de 14 slordig aangemeerd want hij lag tegen de kade te bonken.

'Een brief voor Fons?' vroeg ze ongelovig. 'Waar heeft hij dat aan te danken?'

'Gewoon.' Lena schoof haar sjaal voor haar rode hoofd. 'Is dat soms verboden?'

'Nee, maar jullie zijn anders nooit zo. O, ik vermoed al iets, onze trouwdag volgende week, het moet natuurlijk een verrassing blijven!'

'Mmm.'

'Dat vind ik nou eens leuk,' zei mam tevreden. 'Daaraan kun je merken dat jullie ouder worden.'

'Ik moet meteen weer terug,' zei Lena.

'O ja, is het leuk op het schooltje met dat speelgoed?'

'Ja, heel leuk. We zijn gisteren de hele ochtend bezig geweest en vandaag maken we het af. En morgen is er een speelochtend, dan mag ik ook weer komen van mevrouw Roosje. Dan zetten we alles mooi neer en mogen de kinderen ermee spelen.'

'Dan zal het wel meteen weer gemold worden.'

'Geeft niet,' zei Lena, 'alles is al een klein beetje kapot.'

'Ik loop een stukje met je mee,' zei mam, 'want ik wil even naar Milan. Vragen of hij tijd heeft om bamboe huizen op de website te zetten.'

'Vandaag al?' Lena rilde.

'Ja, als hij vandaag tijd heeft, waarom niet?' Mam stond op en wilde met Lena meelopen.

'De boot ligt niet goed,' zei Lena.

'Oké, wacht op me, ik verleg hem.'

'Nee, ik ga vast.' Lena gaf haar moeder een vlugge kus en begon te rennen.

Zeventien retourtjes

Die nacht deed Lena geen oog dicht. Telkens zag ze voor zich hoe Fons, papa en mam onder de kokospalm zaten en hoe Fons begon, met de brief in zijn hand.

Zou hij het wel goed verteld hebben? Dat ze in het begin een beetje opgeschept had over het restaurant en dat Nelli alsmaar verder vroeg? En dat ze toen maar was doorgegaan en doorgegaan, tot en met de akkoordjes aan toe?

Papa en mam zouden hun oren niet kunnen geloven. Het wás ook niet te geloven. Wie deed nou zoiets? En toch had zij het gedaan, ze kon het zelf niet eens meer begrijpen. Daarom kon ze het ook niet uitleggen. In ieder geval was het begonnen omdat ze zich geschaamd had voor hun eilandje van niks. Ja, dat was het, door dat stomme schamen was ze steeds verdergegaan als een steen die van een berg naar beneden rolt. Holderdebolder, steeds verder, steeds sneller en nu lag ze beneden. En het ergste was dat de schaamte niet over was gegaan, maar nu honderd keer zo erg was.

Na uren en uren dommelde ze eindelijk in, en 's morgens sliep ze nog zó diep dat mevrouw Roosje aan haar schouders moest rammelen om haar wakker te krijgen.

'Lena, Lena,' hoorde ze als van ver, 'de speelochtend!' Ze deed knipperend haar ogen open. Mevrouw Roosje was al aangekleed en zag er fris uit, haar zwarte natte haren zaten in een vlecht. Ze trok het laken van Lena af en lachte.

'Kleed je maar gauw aan. We zijn een beetje laat, je yoghurt staat al klaar.'

Toen ze bij de school kwamen stonden er al kinderen voor het hek. De andere juf was buiten bezig, samen met de twee meisjes die meegeholpen hadden om het speelgoed schoon te maken. Lena zei de meisjes verlegen gedag, hun voornamen was ze alweer vergeten, die waren ook zo moeilijk.

'Kijk Lena,' zei mevrouw Roosje, 'doe de meisjes maar na. We verspreiden alle spulletjes over het plein en pas als alles uitgestald is, doe ik het hek open. Het speelgoed voor de kleintjes moet op het stoepje, vlak bij de deur. Daar mag jij straks bij gaan zitten. De andere kant is voor de wilde jongens.' Lena knikte en ging aan de slag. Het grauwe zanderige plein veranderde langzaam in een vrolijk gekleurde kermis.

De kinderen achter het hek kwetterden als vogeltjes. Dahra stond er ook tussen, ze zwaaide even naar Lena. Eindelijk mocht het groepje naar binnen. Eerst de kleintjes, Lena nam ze mee naar het stoepje. Daarna stoof de rest het plein op, natuurlijk eerst op de fietsjes af waar de juf bij stond om ieder eerlijk een beurt te geven. Dan naar de karretjes, de waterpistolen bij de put, nee, toch maar de ballen. Door al het gerén, getrek en geschuifel was het droge zand omhoog gewaaid en zaten ze in één grote stofwolk.

Lena moest niezen, ze kneep haar ogen tot spleetjes en draaide de sjaal om haar hoofd en over haar mond en neus. Ze zag alleen nog maar de kleintjes en de knuffelbeesten, de rest was verdwenen in het stof. Uit de wolk kwam gegil en gelach, hoog en schel.

Ineens werd het een beetje stiller. Was er iets aan de hand? Lena keek op. Ja, er waren mensen door het hek naar binnen gekomen. Uit de stofwolk doemden drie personen op. Nog voordat ze besefte wie het waren, zag ze vlak voor zich de schoenen van haar vader...

‘Meekomen, jij!’ Haar vader greep haar hand en trok haar van het stoepje af. Nu zag ze ook Fons, die haar aankeek met een grijns alsof hij wilde zeggen: ‘Ik heb gedaan wat je vroeg, maar dit kan ik ook niet helpen, sorry.’

‘Dag lieverd, we hebben je even nodig.’ Mam was er ook bij komen staan. ‘Allemensen, wat een zandstorm, hoe hou je dat hier uit?’ Ze aaide over Lena’s hoofd en liep toen naar mevrouw Roosje.

‘Kan Lena even met ons mee? We gaan mailen en daar moet ze bij zijn. Het is nogal belangrijk.’

‘Er is toch niemand ziek of dood, hoop ik?’ vroeg mevrouw Roosje bezorgd.

‘Nee, hoor,’ zei mam, ‘zo erg is het niet.’

‘O, gelukkig. Dag Lena, tot straks.’

‘Dag,’ zei Lena. Ze liep met haar vader mee het hek uit. Hij hield nog steeds haar hand vast alsof hij bang was dat ze zou ontsnappen. Een eind verder, waar je de kinderstemmen niet meer kon horen, hield hij halt. In de schaduw van een dikke boom zei hij ‘zitten’ op soldatentoon. En nu zaten ze op de grond, alle vier in de kleermakerszit alsof ze gezellig aan het picknicken waren.

Mam legde haar hand op Lena’s knie en stak van wal met zwabberende stem.

'Kind, we weten alles. Alleen, begrijpen doen we het nog niet. Dat ga je ons dadelijk haarfijn uitleggen. Maar die zeventien retourtjes...' Mam zweeg, ze wist zeker niet meer hoe ze verder moest. Lena voelde mams hand trillen. Was het zó erg?

'Weet je wat dat betekent, meisje?'

'Dat betekent zeventien retourtjes naar een vakantiebestemming die nog niet bestaat!' gilde papa.

'Ik vroeg het niet aan jou, Bram,' zei mam liefjes.

Lena hield haar hoofd gebogen, ze wist niet wat ze moest zeggen.

'Nou? Lena?' hield mam aan.

'Ik weet niet,' zei Lena zacht. 'Misschien kunnen ze hun geld nog terugkrijgen.'

'Terugkrijgen? Terugkrijgen?' Papa plofte zowat.

'Bram, doe nou eens rustig. Leg het haar dan uit.'

'Oké, oké, ik ben al rustig.' Papa haalde diep adem. 'Kijk Lena, die vier families zullen wel een verzekering genomen hebben. Als er dan buiten hun schuld iets gebeurt waardoor de vliegreis opeens niet door kan gaan, krijgen ze van die verzekering hun geld terug. Bijvoorbeeld als ze plotseling naar een begrafenis moeten of als ze ziek worden. Maar als er duidelijk een schuldige is aan te wijzen, zegt die verzekering: "Ja doei, we betalen niet, het is de schuld van die en die. Zij zijn verplicht om jullie het reisgeld terug te geven, en als ze dat niet willen, stap je maar naar de rechter." Snap je het nu? Daar komen wij nooit onder uit!

En het is veel geld, Lena, heel veel geld!' Papa brulde alweer. 'Het is de genadeklap voor ons! Je wordt bedankt!'

Lena begon te huilen, de anderen keken stil voor zich uit. Papa haalde een zakdoek tevoorschijn en legde hem op Lena's schoot. Hij kon niet tegen tranen.

'Stil nou maar,' zei hij zenuwachtig. 'We hebben er gisteren de hele avond over gepraat en er ligt alweer een plannetje klaar. Uitvissen en aanpassen, dat is wat je hier moet doen, ik kan het niet vaak genoeg zeggen!'

'Ja,' zei mam, 'we laten ons niet kisten. Als dat plannetje lukt, is er niets aan de hand en gaan we op volle kracht vooruit.'

'Wat voor plannetje?' vroeg Lena zacht.

'Dat vertellen we je straks wel,' antwoordde mam. 'We gaan eerst naar het cafeetje, daar willen papa en ik die mailtjes van jou en Nelli lezen. Want ik wil nou wel es precies weten hoe het zo ver kon komen. En daarna ga ik de ouders van Nelli bellen om te vragen of het waar is dat ze de reis al hebben betaald.'

'Het is daar nog nacht, hoor,' zei Fons.

Hij had de hele tijd nog niets gezegd, alsof hij ook schuld had aan de mailtjes, alsof hij samen met Lena in hetzelfde schuitje zat. Lena wou dat ze even met hem alleen was. Om te horen hoe hij alles aan papa en mam verteld had, en om hem te bedanken, maar dat laatste zou hij vast overdreven vinden. Maar wát er verder ook ging gebeuren, ze had in ieder geval haar oude broer weer terug. Hij kwam voor haar op en ze kon op hem rekenen! Ze keek naar zijn lange benen en zijn zwarte stoffige tenen die uit zijn sandalen staken. Plotseling leek alles een stuk minder erg.

Mevrouw Palatty zette grote ogen op toen ze met de hele familie de tuin in kwamen. Dit keer hoefde mam haar duim en haar pink niet aan haar oor te houden, want Lena kon nu in het Indiaas zeggen dat ze wilden opbellen. Zoals gewoonlijk wees mevrouw Palatty de tuinstoelen aan en vloog het huis in om thee te zetten.

De hele ochtend hadden ze in het cafeetje gezeten. Papa, mam en Fons hadden alle mailtjes gelezen van Lena en Nelli, en daarna had Lena niet eens zo veel hoeven uitleggen. Ze waren allang niet meer boos op haar, maar ze deden wel zenuwachtig en lacherig.

Lena wist nu ook wat het plannetje inhield. Dat was eigenlijk niks bijzonders. Ze zouden aan mister Palatty vragen of hij iets anders in de buurt wist waar de vier families naartoe konden. Dan zou hun reis gewoon door kunnen gaan.

Mam zou zo meteen Nelli's moeder bellen om te vertellen dat Droomeiland nog niet helemaal klaar was. En als de moeder van Nelli dan over de schok heen was, zou mam vragen of ze misschien naar een andere plek in de buurt wilden, waar je ook kon duiken, snorkelen en zwemmen.

Mam dacht er nogal optimistisch over, dacht Lena. Maar wát als Nelli's moeder er geen zin in had? Ze gingen in de tuinstoelen zitten, ze zeiden niet veel. Mam was aan één stuk door aan het giechelen. Van de zenuwen natuurlijk.

'Bij problemen, niet piepen,' zei papa in het wilde weg.

'Lena,' zei mam, 'loop jij even het huis in en kijk of je mevrouw Palatty kunt helpen.' Lena stond meteen op, ze was blij dat ze van tafel kon. Nu pas moest ze aan de speelochtend denken. Die was aan haar neus voorbijgegaan, maar dat was niet zo erg. Veel erger was het om straks alles uit te leggen aan mevrouw Roosje.

In de keuken wees mevrouw Palatty naar een blad waarop theeglaasjes en een schaal met snoepjes stonden. Lena nam het blad mee naar buiten. Mevrouw Palatty kwam achter haar aan met de theepot.

Zwijgend zaten ze aan tafel. Mam porde Lena op om iets te zeggen in het Indiaas, maar wat dacht ze wel? Zo veel woorden kende ze nou ook weer niet. En om de hele tijd 'lekker, lekker' te zeggen, sloeg ook nergens op.

Eindelijk maakte mam het telefoongebaar en mevrouw Palatty het okégebaar. Opgelucht stonden ze op en stommelden met z'n allen het huis in.

'Ja, ben jij het, Joke? Hier Jill!' Zoals gewoonlijk gilde mam in de telefoon alsof ze de Indische Oceaan over moest schreeuwen. Lena hield haar adem in. Ze zat op de bank tussen Fons en papa in. Ze keken alle drie recht voor zich uit, maar hielden hun ogen schuin op mam gericht die op een kruk aan een hoog smal tafeltje zat.

'Hoe is het daar?' riep mam.

'O fijn, dat is mooi. Zeg, waar ik voor bel, Nelli mailde dat jullie de vliegreis al geboekt hebben. Is dat waar?'

Vanaf de bank was Nelli's moeder jammer genoeg niet te horen. Maar op het verblufte gezicht van mam was het antwoord duidelijk af te lezen.

'O.'

'Ja.'

'Eh, ja, natuurlijk. Dat is ook verstandig.'

'Eh, nou ja. Het is een heel misverstand hier. Het is namelijk zo dat...'

'Ja, ja, zoiets. Kijk, we redden het niet om in juli al gasten te ontvangen en...'

'Ja, dat is het hem juist, dat wou ik nou net vertellen. Het was een misverstand. Lena heeft in haar enthousiasme jullie reserveringen bevestigd, maar ze kon niet weten dat we het niet haalden.'

'Nee, daar heb je gelijk in.'

'Nee.'

'Ja.'

'Nee, dat moet je niet zeggen!'

'Nee, maar wij zaten op het eiland en zij zat bij die mail en zo.'

'Meehelpen, jullie? Nee, dat haalt nog niks uit.'

'Nee, het valt helemáál niet mee. De put is opgedroogd, we zitten zonder water, de huizen zijn nog niet af, de boot is kapot, de timmermannen zijn weggelopen, de...'

'Nee Joke, luister nou, even rustig blijven, het ís geen ramp. Wij proberen hier iets anders voor jullie te regelen waar het net zo leuk is als bij ons en...'

'Je kwam speciaal voor ons, dus?'

'Maar ik had graag iets geregeld voor jullie. Misschien hier vlakbij of zo.'

'O. Sorry, ja, jammer.'

'Nee.'

'Nee, natuurlijk niet. Het is jullie keus.'

'Ik ook, Joke, ik ook. Wat dacht je van ons? Het ís ook afschuwelijk. Maar luister...'

'Nee, luister nou, je hoeft er niet over in te zitten. Neem contact op met je verzekering. Als ze niets uitkeren, dan betalen wij jullie alles terug. Eerlijk. Op ons erewoord.'

'Nee, daar hoeven jullie écht niet over in te zitten. Bram z'n moeder schiet het wel voor, dan hebben jullie het over een week weer op je rekening staan.'

'Ja, vinden wij ook.'

'Nee, Lena kon er niks aan doen. Het was onze schuld.'

'Goed. Kun je misschien nu die verzekering bellen om ernaar te informeren? Dan blijven wij hier nog even bij de telefoon.'

'Oké, ik bel je over een uur terug.'

'Heel fijn, tot straks.'

'Ja, sorry. Dág. Sorry.'

Mam smeet met een klap de hoorn op de haak. Haar gezicht zat onder de zweetdruppels.

'Jullie hebben het gehoord!' zei ze dof.

Lena, papa en Fons hadden helemáál niks gehoord. Tenminste, niet de woorden van Nelli's moeder aan de andere kant van de lijn. Maar ze zwegen alle drie, ze begrepen het zó al.

Met de gebakken peren

'Kom,' zei papa, 'laten we naar huis gaan, we zijn al veel te lang weg geweest. Over een uur verwacht ik de regen al. Moet je die lucht eens zien!' Hij keek naar Lena en dacht even na.

'En jíj gaat ook mee! We gaan thuis alles eens goed op een rijtje zetten. Met z'n vieren. Haal je tas met spullen maar op, dan lopen wij ondertussen naar het schooltje en gaan het mevrouw Roosje uitleggen.' Papa gaf mevrouw Palatty geld voor de telefoon en ze namen afscheid. Lena holde weg om haar kleren op te halen. Was de logeerpartij bij mevrouw Roosje nou voorgoed afgelopen? Ze wist het niet, ze zou haar tas maar inpakken alsof het weekend was.

Toen ze bij het schooltje kwam, stonden papa, mam en Fons op de weg met mevrouw Roosje te praten. Mevrouw Roosje keek Lena ernstig aan. Ze zei: 'Meisje, wat jammer nou, en wat een toestand allemaal!' Lena probeerde zich stoer te houden, ze haalde glimlachend haar schouders op.

'Ik kom gauw weer terug, hoor.'

'Natuurlijk, Lena, en dan doen we de speelochtend over. Ze hebben toch zó genoten, de kinderen!'

'Fijn,' zei Lena en toen wees papa naar de lucht en was het tijd om te gaan.

Ze hadden geluk, want net toen ze de 14 aangemeerd hadden en over de steiger liepen, vielen de eerste druppels. Sani en Loki waren op het strand bamboe aan het inwrijven met borstels die ze in grote teilen doopten. Ze hadden allebei alleen een korte broek aan en het leek wel of ze hun borst, gezicht, armen en benen ook hadden ingesmeerd. Straks zouden ze wel weer in zee gaan liggen met broek en al, om zich schoon te spoelen.

Sani en Loki legden het werk neer en liepen op de steiger toe. Ze riepen iets in hun taal en wezen naar de lucht. Papa riep in het Nederlands terug: 'Ik weet het, ga maar gauw naar huis!' Meteen na de eerste druppels viel de regen met bakken uit de lucht en moesten ze nog hard rennen om niet drijfnat te worden.

'Zo,' zei papa toen ze binnen waren, 'en nu gaan we rond de tafel zitten.'

'Om te eten,' zei mam.

'Om te praten,' zei papa.

'Oké, eten en praten tegelijk,' zei mam. 'Ik maak ondertussen wel wat fruit klaar.' Lena schoof aarzelend haar stoel aan. Het voelde vreemd, normaal mochten Fons en zij er nooit bij zijn als er iets belangrijks werd besproken. Eigenlijk was ze het liefst ergens anders, maar dat kon ze natuurlijk niet zeggen. Ze keek naar Fons die met een halve bil op z'n stoel zat, alsof hij elk moment wou opstappen. Hij had een grijns op zijn gezicht die brutaal was en tegelijk verlegen.

Mam begon aan tafel de vruchten te schillen, appelachtige vruchten waarvan ze de naam niet kenden. Tot nu toe had niemand nog iets gezegd. Ze zaten stilletjes bij elkaar en luisterden naar de ratelende regen op het tinnen dak, alsof dat geratel iets belangrijks te vertellen had.

'Nou ja,' begon mam met een diepe zucht, 'we kunnen wel constateren dat we er niet best voorstaan. Ons plannetje is de mist ingegaan. De families hadden speciaal voor óns willen komen, ze hebben geen zin om zo'n verre reis te maken om in een wildvreemd hotel te zitten. Joke zei: "Dan kunnen we net zo goed naar Spanje gaan." Afijn, ze heeft met de verzekering gebeld en ook dat is slecht voor ons afgelopen, maar dat wisten we eigenlijk al: wíj zijn de schuld dat de reis niet doorgaat, dus wíj moeten hun het geld voor de reis teruggeven.'

'Hoeveel is dat?' vroeg Fons.

'Eh, eh, veel, heel veel,' zei mam. Ze durfde zeker het juiste bedrag niet te noemen.

'En gaat oma dat betalen?' vroeg Fons ongelovig.

'Nou, dat moeten we haar eerst vragen. Maar dat doet ze wel, hè Bram?'

'Ja,' zei papa. 'Maar het is geen betalen, het is vóórschieten. En dat betekent dat ik het zo snel mogelijk moet bijverdienen.'

'Ja, en dat krijgt je vader hier in India nooit bij elkaar verdiend,' vulde mam aan. Lena merkte dat haar ouders alweer op een volgend plan waren overgegaan.

'Ja, jongens, dat geld zal ik in ons eigen land moeten verdienen, er zit niets anders op,' sprak papa plechtig. 'Ik zal er zo'n halfjaartje tussenuit moeten. Even keihard klussen in Nederland.'

'En als je terugkomt, gaan we er weer vol gas tegenaan,' zei Fons brutaal.

'Moeten wij dan hier alleen met mam blijven?' vroeg Lena. 'Dat vind ik eng.'

'Luister nou,' zei papa. 'Ik was nog niet uitgepraat. Ik wou juist zeggen dat mam dat óók niet ziet zitten. Als het nou een maand was, alla. Maar een halfjaar...'

'Ja, na alles wat er gebeurd is,' zei mam. Lena wist wat ze bedoelde. Nog steeds waren ze een beetje bang dat die mensen van de overkant die hun boten hadden meegenomen, terug zouden komen. Zelfs papa was nooit meer op het verre strandje geweest. Dat strandjc hadden ze maar opgegeven.

'Conclusie,' sprak papa ferm, 'conclusie is dat we dan maar met z'n allen naar Nederland gaan, voor een halfjaar of zo. We kunnen zolang wel bij oma logeren.'

'En daarna beginnen we hier gewoon weer met frisse moed,' zei mam. 'We gaan niet bij de pakken neerzitten. Zie het maar als een vakantie.'

'Ja,' zei papa, maar hij keek niet zo vrolijk als mam. Hij zuchtte en begon aan zijn nagels te pulken, hij was uitgepraat. Lena's hart bonkte in haar keel, terug naar Nederland voor een halfjaar! Ze had het nooit durven dromen. Ze keek naar Fons, die was opgestaan om iets mee te delen.

'Maar na dat halfjaar ga ík niet meer mee terug!' zei hij vastbesloten.

Mam keek hem geschrokken aan. Papa reageerde niet, hij hield zijn hoofd gebogen, nog steeds bezig met zijn nagels. Lena nam een hap lucht en toen, zonder dat ze er van tevoren over nagedacht had, zei ze er boem pats bovenop: 'En ík ook niet. Ík ga dan ook niet meer terug!'

Meteen voelde ze een golf geluk door haar lijf stromen. Fons en zij zouden nooit meer mee teruggaan, nooit! Ze had Fons wel willen omhelzen, zo blij was ze ineens. Het leek wel of ze vleugels had gekregen die haar een eindje optilden.

'Wát, wat zullen we nou krijgen?' stotterde mam. Ze stak het fruitmesje diep in een appel en liet het los. Het leek wel of de appel met het mesje rechtop in zijn buik de doodssteek had gekregen. Fons ging weer zitten en alle vier bleven ze naar de gestoken appel staren zonder iets te zeggen.

Het is afgelopen hier, wist Lena ineens en ze voelde zich heel kalm worden vanbinnen.

Papa was de eerste die de stilte verbrak.

'Ja Jill, ik zei het toch! Dat heb je nou als ze ouder worden, dan krijg je ze niet meer mee.'

'Dat zullen we anders nog wel eens zien!' snoof mam.

'Ik heb vannacht weer gedroomd,' zei papa zacht.

'Wat heeft dát er nou mee te maken?'

'Het heeft er mee te maken dat ik tegenwoordig elke nacht van bamboe droom.'

'Nou én?'

'Ik sta naast een hoge berg bamboestaken.' Papa sprak op een vreemde, rustige toon, alsof hij het aan zichzelf vertelde. 'Die moeten allemaal nog ingewassen worden. En als ik klaar ben met de berg, kijk ik om en dan is hij weer net zo hoog als eerst, soms nog een stukje hoger.' Het was even stil. Mam wist er zeker niets op te zeggen.

'Vroeger had ik nooit rotte bamboedromen.'

'Je had altijd motordromen,' zei mam. 'Je droomde altijd dat je de mooiste en duurste motor had, die je in het normale leven niet kon kopen.'

'Ja, maar in mijn droom was hij van mij. Hij ronkte en snorde als een spinnende kat en ik suisde iedereen voorbij.' Er kwam een flauwe glimlach op papa's gezicht.

'Weet je, Jill, ik kan de kinderen toch wel begrijpen.'

'Wat zeg je me nou?' Mam zette grote ogen op. Dit was nieuw

voor haar, dat kon je duidelijk merken, dit hadden ze niet samen besproken. Lena hield haar adem in, nu ging er iets gebeuren!

'Ja, ik begrijp ze wel,' ging haar vader verder. 'Ik geef toe, ik twijfel zelf ook of ik nog puf heb om over een halfjaar weer terug te gaan. Of ik dan die "frisse moed" van jou nog heb. Snap je?' Mam keek hem aan alsof ze een vreemde man zag zitten.

'Denk je eens in...' Papa praatte dromerig door. 'Lekker 's morgens warm douchen en dan naar je werk zonder zorgen. Je ruikt naar zeep en scheerspul en je gaat op de motor. Je hebt een dikke jas aan. Niks je borst insmeren met petroleum, geen jeuk aan je benen, geen zweet in je nek. In de bouwkeet moppen tappen en je brood opeten. Met kaas.'

Lena zat verstijfd op haar stoel, zo had ze haar vader nog nooit horen praten. Ze keek voorzichtig naar mam en Fons. Die zaten ook als versteend te luisteren.

'En dan zaterdags naar de motorclub. Natte sneeuw op m'n helm, of een hagelbuitje. Eerst even bij ma langs, een bak koffie halen. Voetbal kijken op zondag, de fietsen van de kinderen repareren, sneeuw opruimen op de stoep voor het huis met de sneeuwschuiver, patat halen bij...'

'Stop!' zei mam. 'Dat huis met die stoep hebben we niet meer.' Papa ging gewoon door, hij was door niemand meer tegen te houden.

'En jij, Jill, jij achter de naaimachine voor de winterkleren. 's Zomers gezellig bedienen op het zonneterras van Reseda. Naar de tennisclub, kletsen met je vriendinnen. Je mooie motorpak weer aan met die rode strepen.'

'Mijn motorpak ligt nog bij ma, maar we hebben geen motors meer, weet je nog?' zei mam. Ze keek nu iets minder streng. Lena had zelfs gezien dat haar ogen een tikkeltje glommen toen het over het naaien van de winterkleren ging.

'En wat dacht je van Fons elke dag naar school?' ging papa verder. 'Waar de leraren ervoor zorgen dat hij wat leert? Niet meer dat gezeur elke dag?' Papa keek even in de richting van Lena. Voor haar mocht hij nog een tijdje zo doorgaan. En hij gíng door, het leek wel of er een vulkaan was uitgebarsten en de lava bleef stromen.

'En Lena? Lekker naar de middelbare school op de fiets met haar vriendin. En paardrijden en naar het strand met de hele club. En computeren zonder dat de elektra uitvalt.'

'Dat computeren heeft ze híér ook kunnen doen, daarom zitten we nú met de gebakken peren,' zei mam. Lena schrok, maar toen zag ze dat mam erbij lachte. En nu begonnen papa, Fons en Lena ook te lachen.

'Misschien vind ik die gebakken peren van Lena helemaal niet zo erg!' bulderde papa.

'Ik ook niet!' lachte Fons.

'Lenaatje heeft ons de genadeklap gegeven,' riep papa opgetogen.

'Top, Lena!' riep Fons met zijn duim omhoog. Lena keek verlegen in het rond. Het leek wel of ze een heldendaad had verricht, het was de wereld op zijn kop!

Nu keken ze afwachtend naar mam, wat vond zíj nou? Ze zwegen alle drie en wachtten gespannen, nog steeds in het lawaai van het geroffel van de regen. En toen, eindelijk, zagen ze mams gezicht vriendelijk en zacht worden.

'Tja, ik weet het niet, hoor,' zei ze langzaam. 'Kijk, als je diep in mijn hart kijkt, verlang ik ook heus wel naar winterkleren naaien bij de kachel en mijn motorpak aan. Maar we zouden er toch voor gáán? Ik vind jullie wel een stelletje slappelingen. Vooral van jou, Bram, valt het me zwaar tegen. Je geeft je droom toch niet zomaar op voor een hagelbuitje en een broodje kaas?'

Weg

De volgende morgen waren Lena en Fons al om zes uur op het strand aan het werk. De regen van de vorige dag had voor de zoveelste keer hun spullen meegesleurd. In de diepe geulen vonden ze alles wat ze gisteren buiten hadden laten liggen, kopjes, flessen, lepels, natte papieren, plastic zakjes. In het ondiepe water dreef hun bal. Fons sleurde de grote takken naar de zijkant van het strand en Lena verzamelde de spulletjes. Papa en mam stonden gebukt bij het fornuis, het natte hout wilde maar niet branden.

Het was fijn om iets te doen te hebben, dacht Lena. Ze had de halve nacht niet geslapen van de opwinding, en Fons ook niet. Want er was iets gebeurd waarvan ze nooit had durven dromen! Ze gingen naar huis! Voorgoed!!!

Het was gekomen doordat papa het niet meer zag zitten om na een halfjaar weer helemaal opnieuw te beginnen. En toen was het drie tegen één en moest mam zich overgeven, ze kon moeilijk in haar eentje terug. Maar het viel haar zwaar; altijd had ze de moed erin gehouden, na elke tegenslag weer vol gas, en dan nu ineens opgeven? Ze was pas rustig geworden toen papa had gezegd: 'In Nederland zijn toch ook eilanden, Jilletje? Wie weet komen we daar in de toekomst wel terecht.'

De hele middag hadden papa en mam nog met elkaar gepraat en 's avonds was hun besluit gevallen: we gaan terug! Voorgoed! Mam had gezegd: 'Jongens, we moeten onze droom opgeven. Wat mij de doorslag heeft gegeven is de gezondheid van jullie vader.' Ze bedoelde dat papa zo mager was geworden en zo. Ze zeiden niet dat het hier mislukt was, maar Fons en Lena vonden van wel.

Daar kwamen Sani en Loki aangevaren. Ze hadden nieuwe staken bamboe bij zich, die ze over de steiger achter zich aan sleepten. Op het strand zeiden ze Fons en Lena gedag. Lena knikte verlegen terug, ze durfde hen niet lang aan te kijken. Want hoe moest dat nou? Die mannen wisten nog van niks, die gingen maar door met hun bamboe terwijl het niet meer nodig was. Ze moest denken aan vorig jaar met oma. Toen ze al wist dat ze naar Engeland zou vertrekken, maar oma het nog niet mocht weten.

Met een geheim rondlopen, ze kon er niet meer tegen. Zelfs hier, ver van de bewoonde wereld, had ze het nog voor elkaar gekregen om met geheimen rond te lopen! Eerst dat voor Nelli en toen dat voor haar ouders. Zou ze straks in Nederland nog steeds haar mond moeten houden? Dat het een eilandje van niks was geweest? Dat het bedekt was met mangroves waar je niet doorheen kon komen? Dat ze niet eens op het laatste strandje durfden te komen? Dat er teken waren, en zandvliegen waardoor je altijd rondliep met jeuk aan je benen? En dat ze nooit verder waren gekomen dan een betonnen vloer en een berg bamboe? Nee, besloot ze, ze had er schoon genoeg van. Als ze thuiskwam zou ze alles eerlijk vertellen!

Lena rook de geur van gebakken eieren, mam had het fornuis aan de praat gekregen. Met de gevonden spulletjes onder haar arm liep ze naar boven en ging bij haar vader op de veranda zitten. Fons kwam nu ook op de eieren af.

'Nou jongens, daar zitten we dan!' zei papa toen ze aan het ontbijten waren. 'Geniet nog maar even van het uitzicht. Straks zitten we tegen geparkeerde auto's aan te kijken of tegen een stenen muur van de buren.'

Lena keek naar de heldere blauwgroene zee die in de verte steeds donkerder werd, met daarachter Mabennogwat in het grijsgroen. Ze keek ook opzij naar de wuivende palmen boven het witte strand. Wat ze nu zag, zou ze haar hele leven nooit meer kunnen zien. Ja, op foto's, maar daar keek ze niet graag naar, daar werd ze meestal een beetje treurig van. Foto's lieten altijd dingen zien die voorbij waren, die nooit meer terug zouden komen. Behalve natuurlijk de foto's op hun website, waar juist dingen op stonden die nog móésten komen. Maar dat was een ander verhaal...

Toch zag ze niet op tegen het afscheid van het eiland. Ze had nu al zó vaak afscheid moeten nemen, dat dit er ook nog wel bij kon. Bovendien, sinds gisteravond toen mam zei dat ze voorgoed teruggingen, durfde Lena voor het eerst te voelen hoe erg ze naar huis verlangde. En dat verlangen was groter dan ze ooit gedacht had.

Ze zag Sani en Loki op het strand zwoegen met het bamboe en vroeg: 'Maar papa, hoe moet het nou verder? Moet je ze niet vertellen dat we weggaan, het heeft toch geen nut meer wat ze doen?'

'Ja, je hebt gelijk,' zei papa, 'maar dat krijg ik nooit aan ze uitgelegd. Kijk, vandaag is het donderdag, laat ze vandaag en morgen nog maar klussen. Dan gaan we zondag alles met mister Palatty bespreken. O jee, dat zal nog een hele heisa worden! Want denk maar niet dat we een-twee-drie kunnen vertrekken. We moeten bijvoorbeeld alle spullen die mee terug moeten – denk aan mams naaimachine, mijn gereedschappen – in kisten doen. Die gaan weer per schip naar Nederland. Dat is een hele klus om voor elkaar te krijgen, daar zijn we wéken zoet mee. En ik zal hier eerst nog een hoop dingen moeten verkopen, de minigraver, de boot, het bamboe en weet ik wat allemaal. En dan moet ik nog regelen dat mister Palatty ons eiland te koop zet. Dat wordt een papieren rompslomp van heb ik jou daar. Pas als dat alles geregeld is, kunnen we onze vlucht gaan boeken.'

'En wanneer bel je oma dan?' vroeg Fons. Lena dacht, Fons stelt altijd vragen waar je liever nog niet aan wilt denken. Papa fronste zijn wenkbrauwen en keek mam aan.

'Wat denk jij, Jill? Ik zie ertegenop.'

'Ik ook,' zei mam. 'Wat een drama! We moeten ook vragen of we voorlopig bij haar mogen logeren. Dan moet ze de zolder leeghalen, ik schaam me rot.'

'En je moet vragen of ze al dat geld betaalt aan Nelli's moeder,' zei Fons vrolijk.

'O, kind, schei uit,' zei mam.

'Toch moet dat snel gebeuren,' zei papa. 'Het beste is om dat vandaag maar meteen te doen. Bellen en alles uitleggen.'

'Ik denk dat ze zó blij zal zijn, dat het geld haar niks kan schelen,' zei Lena.

'Dat is waar,' zei mam. 'Ze zal een gat in de lucht springen!'

Papa en mam lieten er geen gras over groeien. Aan het eind van de ochtend vertrokken ze met de 14 naar Mabennogwat om bij mevrouw Palatty te gaan bellen. Ze hadden uitgerekend dat het dan bij oma half negen in de ochtend was. Ome Bing zou dan op zijn werk zitten, en oma zou fris als een hoentje de ontbijtboel aan het opruimen zijn.

Het zou wel lastig zijn om alles uit te leggen. Hoe zou papa het vertellen? Zou hij eerst zeggen dat ze terugkwamen, en dán pas over het geld beginnen? Nee, waarschijnlijk andersom...

Dat het begonnen was met Lena, die had opgeschept over de huizen die nog niet bestonden. Hij zou vertellen over Nelli, die zo wild enthousiast was dat ze met het hele gezin ging sparen, en die nog drie families meekreeg voor de zomer. En over mam die een website liet maken waarop het restaurant en de hutten al te zien waren, waarbij je kon reserveren voor Droomeiland. En over Lena die dat aan Nelli verteld had terwijl het nog niet mocht. En over de 17 reserveringen die toen gekomen waren en over domme Lena die de akkoordjes had teruggemaild. En over de vier families die de vliegreis al betaald hadden. En over papa en mam die nu het geld moesten teruggeven omdat Droomeiland nog niet klaar was.

Waaróm Droomeiland nog niet klaar was, dat zou een te lang verhaal worden door de telefoon. Gelukkig maar, dacht Lena. De gestolen boten zaten nog steeds als een pesterig duiveltje in haar hoofd.

En daarna zou papa oma om geld vragen, en of ze dat snel aan de families wilde overmaken. En dan... zou hij zeggen dat hij goed nieuws had voor haar! Dat ze weer voorgoed thuiskwamen!

Lena vond dat het lang duurde voor papa en mam weer terug waren. De 14 meerde pas aan toen Sani en Loki al bijna naar huis gingen. Mam zag er stralend uit en papa lachte. Fons en Lena renden hen tegemoet op de steiger.

'Het is goed gegaan,' zei papa. 'Oma was thuis en ik heb alles van de vliegreisjes uitgelegd, zo goed en zo kwaad als het ging. Ze vond het wel een beetje dom van Lena, maar ook dom van mam om die website de lucht in te gooien. Het hele dorp, en zelfs oma, had al gezien hoe het restaurant erbij stond. Nou, en toen hoefde ik niet eens wat te vragen, ze stelde nota bene zelf voor om het geld aan de families te betalen! En toen we dat gehad hadden, zei ik dat ik nóg een nieuwtje had. Nou, je had haar moeten horen! Ze huilde en lachte en brulde, ik kon haar niet meer verstaan, zó blij was ze. Ze ging meteen de zolder leeghalen en de logeerkamer klaarmaken, zei ze. Maar ik zei: "Ma, het kan nog wel een maand duren eer we thuis zijn, hoor!" En ik legde uit wat we hier nog te doen hadden. Maar ze was niet meer te houden, ik weet zeker dat ze nú al met matrassen loopt te zeulen.'

'O, kinderen, wat een opwinding allemaal, hè!' zei mam lachend en opgetogen. 'En het erge was dat we niks aan mevrouw Palatty konden uitleggen. Ze merkte natuurlijk dat er iets aan de hand was, ze keek ons steeds met grote ogen aan. Het wordt tijd dat ze een paar woordjes Engels leert. Nou ja, maar we hebben in ieder geval een briefje voor meneer Palatty neergelegd. Of hij zondagochtend hierheen wil komen. Dat we iets belangrijks te bespreken hebben.'

Lena stond perplex, ze had haar moeder in tijden niet meer zo vrolijk gezien. Mams ogen twinkelden en het leek wel of alle zorgelijke plooien en rimpeltjes in haar gezicht in één klap waren gladgestreken! Nu wist Lena het zeker: mam was óók dolblij dat ze voorgoed naar huis ging. Ze had zich altijd groot gehouden om de boel niet verder in de soep te laten lopen, maar nu was ze net zo opgelucht als de anderen. Er was geen twijfel meer mogelijk!

Terwijl ze met z'n vieren het strand op liepen, doken Sani en Loki juist de zee in om zich schoon te spoelen. Papa keek met een schuin oog naar de gewassen berg bamboe.

'Ze hebben behoorlijk veel gedaan vandaag,' zei hij.

'Allemaal voor niks,' vulde Fons aan.

Nieuwe ogen

Lena fietste door het dorp op oma's fiets met het hoge stuur en de grote zijtassen. Het was stil op straat, de zomervakantie was net begonnen en veel mensen waren op vakantie gegaan. Ze mocht vijf chocoladebollen gaan halen van oma. 'Ik heb straks een verrassing voor jullie in petto en daar wil ik iets lekkers bij,' had oma geheimzinnig gezegd.

Lena vond het leuk om naar de bakker te gaan. In het begin was het raar geweest dat ze hem zomaar kon verstaan, dat ze niet eerst thee hoefde te drinken maar dat ze meteen om brood kon vragen. En ook dat de bakker meteen begreep wat ze wilde hebben en het in een ommezientje op de toonbank legde. Maar nu ze hier twee weken was, begon het toch al een beetje te wennen. 'Uitvissen, wennen en aanpassen' dreunden papa's woorden nog steeds in haar hoofd. Bij de bakker zette ze de fiets op de standaard. De winkel was nog niet open en ze ging op de vensterbank van de etalage zitten.

Vandaag was het precies twee weken geleden dat ze thuisgekomen waren. Nou ja, thuis, thuis, een huis hadden ze niet meer. Hun huis was nu van Koert, de vriend van Pia. Lena was nog wel samen met mam bij Pia op bezoek geweest. En daar hadden ze over hun vertrouwde stoep gelopen die er kaal uitzag zonder motors en fietsen. Lena had bij hun oude huis naar binnen willen gluren – de nepplanten stonden nog steeds voor het raam – maar mam trok haar weg. Ze zei: 'Niet naar ons huis kijken, Lena! Dat is achteruit kijken, en van achteruit kijken krijg je heimwee.' Nou, dat wist Lena ook heus wel, dat had ze voor altijd in haar schrift gevangen.

Deze weken waren vreemd en druk geweest. Eerst natuurlijk de thuiskomst bij oma met allemaal vrolijke mensen, en met een boog over het bruggetje met WELKOM erop. Oma had haar geluk niet opgekund, 's avonds had ze feestelijk pannenkoeken gebakken en alle vier hadden ze geroepen: 'Mmm oma, wat lekker!' Later zouden ze haar wel zeggen dat ze geen pannenkoek meer konden zien. En oma had Fons en Lena voortdurend vastgepakt om te voelen of ze het écht waren, of het geen droom was. Ome Bing was eerst een beetje verlegen geweest, maar je zag wel dat hij óók blij was, want hij liep de hele tijd als een jong hondje achter papa aan.

Nelli had natuurlijk ook bij de welkomstboog gestaan. Lena was in haar armen gevallen en ze hadden elkaar een tijdje aangekeken. Ze zeiden niks, behalve Nelli: 'Wat ben je mager geworden en bruin!' en Lena: 'Wat heb je een lang haar!' En daarna wisten ze niets meer te verzinnen. Maar dat kwam ook omdat Hanna erbij stond, die als plakband aan Nelli kleefde.

De volgende dag was Nelli alleen gekomen, zonder Hanna. Ze

waren samen in de bollenschuur gaan zitten. Helemaal boven op zolder, op de groengestreepte matras. En daar, nog voordat Nelli met haar nieuwsgierige vragen kon komen, had Lena alles verteld. Alles, eerlijk, van het begin tot het eind. Hier en daar in het verhaal schaamde ze zich nog wel een beetje, maar daar had ze voortaan lak aan.

'Dus eigenlijk heb jíj ervoor gezorgd dat jullie weer hier zijn,' had Nelli geconcludeerd.

'Ja, ik heb het wel gedaan, maar niet expres!' had Lena gezegd. Ze hadden allebei moeten gieren van de lach, maar even later had Nelli een streng gezicht opgezet.

'Je hebt wel tegen mij gelogen.'

'Ja, maar jij was ook zo ongeduldig, jij zeurde maar of het restaurant al klaar was, en ik schaamde me dood, ik vond ook dat papa het al af had moeten hebben.'

'Maar waarom heb je dan niet verteld dat die twee boten gepikt waren en dat jullie een tijd niet op het eiland waren? Dan had ik wel begrepen dat alles zo langzaam ging.'

'Dat wou ik niet vertellen want ik dacht, als de mensen weten dat er een vreemd volk over ons eiland sluipt, durft niemand meer bij ons te komen. Dan krijgen papa en mam geen ene gast.'

'Maar dan had ik het toch aan niemand doorverteld?' had Nelli uitgeroepen en toen was Lena heel hard gaan lachen. En toen het weer stil was, zei Nelli: 'Weet je wat ik eigenlijk gek vind? Dat je ouders niet ontzettend kwaad op je zijn!'

'Ja, maar misschien waren ze diep vanbinnen wel blij dat ze terug moesten,' had Lena geantwoord. 'In ieder geval mijn vader, die moest zich kapot werken, die kón niet meer, en die miste zijn motors, dat weet ik zeker. En mam durfde het niet toe te geven, maar die had daar niks aan haar naaimachine want we hadden zowat geen kleren aan.' Lena had even gezwegen en daarna lachend gezegd: 'Maar als jij onze site niet had gevonden en als jullie je niet met z'n allen hadden ingeschreven, zat ík nog op het eiland! Jij hebt er ook voor gezorgd dat ik weer thuis ben.'

'Ja, ik heb het wel gedaan, maar niet expres!' had Nelli uitgeroepen.

'Samen!' riepen ze tegelijk en ze waren over elkaar heen gerold op de houten zoldervloer, krom van het lachen. En het was weer net zo fijn met z'n tweetjes als vroeger. Er was geen sikkepit veranderd!

De dagen erna kwam er elke dag bezoek, waarbij papa en mam steeds hetzelfde verhaaltje afdraaiden. Dat het heerlijk was geweest, maar erg zwaar en dat papa niet tegen het klimaat kon. En dan keek het bezoek naar papa's magere lijf en zijn uitgemergelde gezicht, en dan hoefde mam niks meer uit te leggen. 'Maar een ervaring rijker!' gilde mam dan. 'We hebben er beslist geen spijt van, is het niet, Bram?' Hoe het nu verder moest zonder huis en zonder werk, daar dacht geen mens aan.

Lena had gedacht dat ze meteen heel blij zou zijn als ze terug was in het dorp. Maar dat lukte niet zomaar. Het vliegtuig had haar wel snel thuisgebracht, maar dat vliegtuig was sneller gegaan dan haar gedachten. Toen de deur openklapte en ze de eerste stap op de grond van haar eigen land zette, was ze met haar hoofd nog steeds in India.

Het afscheid van hun eilandje was trouwens wel meegevallen. Ze had maar even moeten slikken. Dat was toen ze met z'n allen op de veranda stonden en papa plechtig de deur van de hut op slot deed. Nog één keer hadden ze over zee uitgekeken en toen was mam door het zand naar het fornuis gelopen en had er een klapje op gegeven om het te bedanken. Daarna had papa het plastic kleed erop gelegd met de twee stenen erop, zoals hij deed als er regen kwam. En toen, zonder om te kijken, waren ze in de boot van mister Palatty gestapt.

Het dag zeggen van mevrouw Roosje had Lena nog het ergst gevonden. Ze zouden elkaar nooit meer zien, dat wisten ze allebei. Lena had gehuild en mevrouw Roosje had haar rozenolie gegeven en rozenzeepjes en rozenzalf. 'Daarmee kun je me altijd onthouden,' had mevrouw Roosje gezegd. 'Want je neus heeft het beste geheugen. Door te ruiken weet je weer precies hoe het was. Dat gaat nog veel beter dan door te kijken naar een foto.' Ze zouden mailen, mevrouw Roosje in het cafeetje met de vliegen en Lena op de computer die er nog niet was.

Van Dahra had ze zonder huilen afscheid genomen. Dahra had een foto van zichzelf meegegeven. Dahra kon niet mailen maar ze zouden schrijven, al deed de post er weken over. Met elke brief zou Dahra naar mevrouw Roosje moeten om het Engels te vertalen.

In haar gedachten had Lena al een brief voor Dahra klaar. Ze zou vertellen hoe Nederland eruitzag. Dat kon ze nu opeens veel beter zien, het leek wel of ze met nieuwe ogen teruggekomen was. Het viel haar nu op dat de mensen zulke donkere kleren aanhadden. De meesten in blauwe lange broeken en sombere regenjacks. Er was zowat geen heldere, vrolijke, gebloemde kleur te bekennen. En gympen, iedereen op gympen. En dichte schoenen met sokken. En veel kortgeknipte koppen, nergens lange zwarte sierlijke haren. En een fietsen, wat een fietsen! Het leken er wel veel meer dan vroeger. En dan de lucht, zacht en grijs met enorme uitgezakte witte wolken met donkere randen. En het gras, wat was er veel gras, zo helder lichtgroen! En ook zag Lena ineens hoeveel hier van steen was. De straten en de stoepen, de huizen, de kerken, de kades in het water, de muurtjes op de bruggen. Vaak glimmend van de regen. En nergens, nergens stof.

Ja, dat alles zou ze aan Dahra schrijven. Ze zou het nu alvast in haar schrift noteren, want over een poosje zou alles gewoon zijn en kon ze er niet meer opkomen.

Lena hoorde gemorrel aan het slot en de deur van de bakkerij ging open. Ze wipte van de vensterbank en liep naar binnen. Zes woorden hoefde ze maar te zeggen, 'dag meneer' en 'vijf chocoladebollen alstublieft' en 'dankuwel'. En voor ze het wist stond ze alweer buiten met de kartonnen taartdoos in haar hand.

De bollenschuur

'Hé, taart,' zei papa, 'waar hebben we dat aan te danken, ma?'

'Ach, om te vieren dat jullie twee weken hier zijn, zullen we maar zeggen,' lachte oma geheimzinnig. 'Fons, kom je er ook bij?'

Ze zaten binnen aan de eettafel met het uitzicht op de velden, want buiten was het gaan miezeren. Oma had de tubes lijm en de stapel papieren voor de enveloppen op het dressoir gelegd. De scharen lagen nog op tafel, alsof het bestek was voor de chocoladebollen. Straks zou Lena oma gaan helpen met de enveloppen, want als ome Bing om vijf uur thuiskwam moesten ze klaar zijn.

'Mmm, lekker, ma,' zei mam. 'Ik was helemaal vergeten hoe ze smaakten. Heb jij ze gehaald, Lena?'

'Ja.'

'Had jij het zadel nog lager gezet voor haar, Bram?'

'Nee, maar ik dacht erover om vandaag voor ons allemaal een fiets op de kop te tikken, want het is geen doen zo. Ik vraag aan Kees of hij ons naar het strand rijdt en afzet bij Van Hoorn Verhuur. Die doen de afgedankte toeristenfietsen voor een prikkie weg. En dan fietsen we met z'n allen weer terug. Leuk of niet leuk, jongens?'

Lena knikte blij. In het begin had ze het niet erg gevonden om alles te lopen, want in India was ze niet anders gewend. Maar nu begon dat langzame gedoe haar tegen te staan en wilde ze net als iedereen snel ergens komen. Hup naar de pony's, hup naar de winkels en hup naar Nelli. Ja, dat was ook iets om aan Dahra te schrijven, dat alles hier zo snel ging. En dat mam een snauw had gekregen van de kassajuffrouw in de supermarkt omdat ze de boodschappen te langzaam van de band pakte.

'Zonder fiets, ben je niets,' mijmerde oma. 'O ja, dat is waar ook, Bram, je zou je motor moeten terugkopen van de buurman,' zei oma. 'Wist je dat dat ding het hele jaar de schuur nog niet uit is geweest? Ik heb er speciaal op gelet.'

'Is dat zo?' Papa's ogen keken begerig opzij alsof hij dwars door de muren de schuur van de buurman kon zien. 'Dan ga ik toch eens praten.'

'Bram,' zei mam, 'we hadden toch samen afgesproken: eerst werk en dan motors?'

'O, ja,' zei papa met een knipoog naar niemand in het bijzonder, 'dat was ik even vergeten.'

'Zeg, hebben jullie het nieuwe huis van Aart Vogelenzang al gezien?' vroeg oma.

'Ja, mooi!' zeiden papa en mam tegelijk.

'Waar is dat?' vroeg Fons.

'Dat is die bollenschuur hier helemaal aan het eind van de weg,' zei papa. 'Die hebben ze schitterend verbouwd. Het is nou een prachtig woonhuis geworden, ik denk wel het mooiste van het dorp, drie verdiepingen hoog.'

'En met een prachtig uitzicht op de duinen,' zei mam een tikje jaloers.

'Waarom ik het zèhèg,' sprak oma langzaam, 'is dat ik besloten hèhèb... om mijn bollenschuur ook te laten verbouwen tot een huis.'

'Wát?' zeiden papa en mam alweer tegelijk. Ze keken alle vier gespannen naar oma die eventjes zweeg. Lena voelde een steek door haar lijf gaan. In één klap zag ze haar fijne speelplek als sneeuw voor de zon verdwijnen. Nooit meer verstoppertje, nooit meer diefje, hangen aan de touwen of lezen in het hoekje bij de kisten. Nee, dit mocht niet gebeuren!

'Iedereen zegt dat ik gek ben als ik het niet doe,' ging oma verder. 'Het is zonde om er geen prachtig woonhuis van te maken. Nu staat die stenen schuur maar te niksen en straks brengt hij z'n geld dubbel en dwars op. Trouwens, tegenwoordig worden al die bollenschuren verbouwd. Het zijn de mooiste huizen uit de buurt, met die statige, hoge ramen en die luiken. Aart Vogelenzang heeft op de eerste verdieping voor die hoge ramen hekjes gemaakt, zodat het net balkons zijn.'

'Tja, het is even schrikken moet ik zeggen, maar ik denk ook dat het verstandig is,' zei papa. 'Maar kun je tegen die rompslomp? Al dat gedreun en gedril van de bouw?'

'Ikke wel,' zei oma, 'waar zie je me voor aan, ik ben toch geen oud wijf?'

'En besef je wel dat je dan het bruggetje moet delen?' ging papa verder. 'Weet dat er dan altijd vreemde mensen langs je huis lopen. Daar moet je tegen kunnen.'

'Ja,' zei mam, 'en stel dat het lawaaimakers zijn die dat huis kopen, dan is het uit met je rust. Ben je daar niet bang voor?' Het leek wel of ze oma wilden tegenhouden. Lena zelf wist niks te zeggen, ze dacht alleen maar aan de donkere verstopplekken en de kisten.

'Of als het heel vervelende mensen zijn?' deed Fons een duit in het zakje.

'Het zijn geen vervelende mensen,' zei oma met een scheef lachje.

'Wát, heb je er al kopers voor?' vroeg papa.

'Ja, jongen,' zei oma, 'jij denkt dat de tijd stilstaat als je een jaar wegblijft.' Papa keek een beetje beteuterd voor zich uit.

'Nee Bram, het was maar een geintje, hoor. Ik heb nog geen kopers, want die mensen die erin komen die hóéven het niet te kopen.'

'Wat bedoel je nou weer?' vroeg papa met zijn mond vol slagroom.

'Die mensen die erin komen, die kríjgen het van me.'

'Ik word niet goed!' Papa schudde geërgerd zijn hoofd.

'Want die mensen die erin komen... dat zijn jullie!'

'Wij?' Papa's mond bleef openhangen. Mam werd knalrood en oma keek triomfantelijk in het rond.

'Ja, jullie,' zei ze. 'Ik heb besloten om de bollenschuur te gaan verbouwen en hem aan jou te schenken. Je erft hem, zogezegd.'

'Net als in een sprookje,' riep Lena.

'Maar, maar, hoe, wat...' Papa kreeg er geen normaal woord meer uit.

'Zo gek is dat toch niet?' zei oma. 'Je wou het bollenbedrijf van pa niet overnemen, oké. Maar de schuur die is er nog, en die is voor jou. Voor wie zou hij anders moeten zijn? Bingetje heeft er niks aan.'

'Eh, ja, o...'

'Ik zie het helemaal voor me,' ging oma dromerig verder. 'De huiskamers en de keuken op de eerste verdieping met aan drie kanten hekjes voor die hoge ramen. Dan zie je achter de bollen, vóór de sloot en opzij mijn huis. Op de tweede verdieping de slaapkamers en zo, en dan heb je nog een joekel van een zolder voor je rommel. Van die zolderraampjes maken we dakkapellen, dat staat zo deftig, dat hebben ze bij Vogelenzang ook. Beneden zou ik het zo'n beetje laten, daar kun je een grote werkplaats maken, en je motors neerzetten en je caravan.'

'Met caravans heb ik het gehad,' mompelde papa zachtjes.

'Nou? Wat zeggen jullie ervan?' glunderde oma. Even was het heel stil, alsof ze zeker wilden weten dat het geen droom was. En toen barstten ze los. Fons was opgestaan en danste door de kamer. Lena bleef zitten maar haar hart danste met Fons mee. Ze kon het bijna niet geloven, ze hadden weer een huis! En wel op het fijnste plekje van de hele wereld! Nergens op die wereld zou ze liever wonen! Papa was ook dolgelukkig, zag ze. Die ging naar oma toe, omhelsde haar en liet niet meer los.

'Ma, het is fantastisch! Ik weet niet wat ik moet zeggen! Dit is ons grootste geluk!'

'We zitten dan wel dicht op elkaars lip,' zei oma. 'Vinden jullie dat niet erg?'

'Neeee!' gilden Fons en Lena.

'Welnee, ma,' zei papa. 'Het is ook fijn voor jou, dan kun jij ook eens een weekendje weg, want wij kunnen dan gemakkelijk voor Bing zorgen.'

'Ja, dat had ik stiekem ook al gedacht. Als jullie een oogje in het zeil houden, kan ik eindelijk eens op mijn gemak boodschappen doen.'

Oma keek opgelucht. Papa en Fons gingen weer op hun stoel zitten. En nu keken ze allemaal naar mam, want ineens viel het op dat mam nog niks gezegd had. Lena keek angstig naar mams gezicht. Je kon er niets van aflezen. Het was niet vrolijk, maar ook niet treurig, alleen maar erg vlekkerig rood.

Opeens kreeg Lena de zenuwen. Hier wonen, in de bollenschuur, was het allerfijnste wat er bestond. Maar zou mám het wel willen? Als mam iets niet wilde, dan ging het hele verhaal niet door. Lena's hart bonkte van angst. Mam, alsjeblieft, zeg wat! Maar mam zei niets en zat nog steeds voor zich uit te kijken met haar rooie kop. Papa begon ook een beetje zenuwachtig te worden, zag Lena.

'Wat vind jij, Jill?' begon hij voorzichtig. 'Het is natuurlijk geen eiland, maar... Weet je wat het is, ma, Jill had zo graag op een eiland gewoond. Maar luister, Jill, als je het goed beschouwt staan de bollenschuur en ma's huis eigenlijk óók op een eiland. Kijk, met die slootjes en de vaart daar in de verte en hier de sloot met het bruggetje...'

Lena hield haar adem in. Het móést doorgaan, het móést! Als ze hier gingen wonen in dat mooie hoge bollenschurenhuis, zou ze nooit meer heimwee hebben, nooit meer iets missen. Dan zou alles voor altijd goed zijn!

En toen, eindelijk, verscheen er een lach op het gezicht van haar moeder. Een brede, gulle lach.

'Sorry ma,' zei mam, 'ik was even sprakeloos. Maar wat ík vind? Ik vind het fantastisch! Het is een lot uit de loterij!'

Lena gooide haar hoofd naar achteren en zuchtte opgelucht. Om haar heen hoorde ze de anderen puffen van geluk.

'Maar je eiland dan, Jill?' vroeg papa voor de zekerheid.

'Eiland, eiland?' lachte mam. 'Dat slootje voor het huis is goed genoeg.'

Einde

Lees ook:

Wanneer Morris, zijn ouders en zijn zusje van een weekendje weg thuiskomen, zit er een wildvreemd gezin in de keuken van hun grote villa. Het gezin was met hun zeven honden het huis uitgezet en had geen onderdak.
Omdat de moeder van Morris medelijden krijgt, mag het arme gezin één nachtje blijven. Maar het blijft niet bij één nachtje.

ISBN 978 90 257 4964 4

Lees ook:

Roy is zijn ouders volledig de baas. Die wringen zich in bochten om hun zoon in alles zijn zin te geven. Toen Roy klein was ging dat nog gemakkelijk, maar nu Roy's wensen alsmaar groter worden, zijn z'n ouders de wanhoop nabij. Als zij zelfs hun hobby's moeten opgeven, is de grens bereikt. Er moet iets veranderen, en dus nemen ze een besluit. Maar of dat zo verstandig is?

ISBN 978 90 468 0457 5